SEKRETNE ŻYCIE DRZEW

PETER WOHLLEBEN

SEKRETNE ŻYCIE DRZEW

TŁUMACZENIE EWA KOCHANOWSKA

OTWARTE

KRAKÓW 2016

Tytuł oryginału:
Das geheime Leben der Bäume: Was sie fühlen, wie sie kommunizieren –
die Entdeckung einer verborgenen Welt

Copyright © 2015 by Ludwig Verlag,
a division of Verlagsgruppe Random House GmbH, München, Germany

Copyright © for the translation by Ewa Kochanowska

Opieka redakcyjna: Olga Orzeł-Wargskog

Konsultacja terminologii przyrodniczej: dr inż. Piotr Tyszko-Chmielowiec,
dr Wojciech Paul

Opracowanie typograficzne książki: Daniel Malak

Adiustacja: Bogumiła Ziembla / Wydawnictwo JAK

Korekta: Maria Armata / Wydawnictwo JAK,
Bogumiła Ziembla / Wydawnictwo JAK

Łamanie: Andrzej Choczewski / Wydawnictwo JAK

Projekt okładki, wyklejki i ozdobniki w książce: Eliza Luty

Fotografia autora: © Miriam Wohlleben

ISBN 978-83-7515-187-9

OTWARTE

www.otwarte.eu

Dystrybucja: SIW Znak.
Zapraszamy na www.znak.com.pl

SPIS TREŚCI

PRZEDMOWA

Gdy rozpoczynałem zawodową karierę leśnika, tyle wiedziałem o sekretnym życiu drzew, ile rzeźnik o uczuciach zwierząt. Nowoczesna gospodarka leśna zajmuje się produkcją drewna, czytaj – wycinaniem drzew, a potem sadzeniem nowych. Podczas lektury czasopism fachowych można odnieść wrażenie, że dobro lasu jest o tyle godne uwagi, o ile jest konieczne z punktu widzenia jego optymalnej eksploatacji. To zresztą aż nadto wystarcza, by wypełnić leśnikowi zwykły dzień pracy, i tak stopniowo dochodzi do wykoślawienia perspektywy. A ponieważ codziennie musiałem taksować setki świerków, buków, dębów czy sosen pod kątem ich przydatności w tartaku i wartości rynkowej, mój horyzont coraz bardziej się zawężał.

Mniej więcej przed dwudziestu laty zacząłem organizować dla turystów treningi survivalu i rajdy połączone z nocowaniem w leśnych chatach. Później doszły do tego rezerwaty lasu pierwotnego i las cmentarny*. Dzięki rozmowom z wieloma gośćmi mój ogląd lasu znowu wrócił do normalności. Powykręcane, pokryte guzowatymi naroślami drzewa, które wówczas zaliczałem jeszcze do kategorii małowartościowych, budziły zachwyt w wędrowcach. Razem z nimi uczyłem się, by zwracać uwagę nie tylko na pnie i ich jakość, lecz także na osobliwe korzenie, niezwykłe kształty drzew bądź delikatne poduszki mchu na korze. Miłość do natury, która napędzała mnie już jako sześciolatka, wybuchła z nową siłą. Raptem odkryłem niezliczone cuda, których nie byłem sobie w stanie wyjaśnić. Akurat w tym czasie uniwersytet w Akwizgranie rozpoczął regularne badania w moim rewirze. Na wiele pytań udało się wtedy znaleźć odpowiedź, pojawiła się jednak nieskończona ilość innych. Życie leśnika znów stało się interesujące, a każdy dzień w lesie zmieniał się w odkrywczą wyprawę. Wymagało to z kolei uwzględnienia nietypowych okoliczności w gospodarowaniu lasem. Ten, kto wie, że drzewa odczuwają ból i mają pamięć, i że drzewni rodzice żyją razem ze swymi dziećmi, nie będzie już mógł tak po prostu ich ścinać i siać wśród nich spustoszenia ciężkimi maszynami. Od dwóch dekad nie mają one wstępu do mojego rewiru, a jeśli nawet czasem usuwa się pojedyncze pnie, to pracę tę wykonują z całą ostrożnością robotnicy leśni wraz z końmi. Zdrowy, być może nawet szczęśliwy las jest znacznie produktywniejszy, a to oznacza jednocześnie

---

* To specjalnie wydzielona część lasu, w której można dokonać pochówku urny z prochami zmarłego. Jedynym oznakowaniem takiego miejsca są tabliczki na drzewach. Lasy cmentarne są coraz popularniejszym w Niemczech miejscem pochówku (przypisy dolne pochodzą od tłumaczki, przypisy końcowe zaś – od autora).

wyższe przychody. Ten argument przekonał mojego praco-
dawcę, gminę Hümmel, i dlatego w maleńkiej wiosce w górach Eifel* żaden inny sposób gospodarowania nie jest i nie
będzie brany pod uwagę. Drzewa oddychają z ulgą i zdradza-
ją jeszcze więcej swych tajemnic, zwłaszcza te grupy, które
rosną w nowo założonych strefach ochronnych i nie są niczym niepokojone. Nigdy nie przestanę się od nich uczyć,
lecz już to, co do tej pory odkryłem pod liściastym dachem,
przekroczyło moje najśmielsze oczekiwania.

Zapraszam Was, byście wraz ze mną dzielili szczęście,
które mogą nam dać drzewa. A kto wie, może podczas następnego spaceru po lesie sami odkryjecie małe i wielkie
cuda.

---

* Góry te są częścią Reńskich Gór Łupkowych, ciągnących się na terenie
zachodnich Niemiec oraz Luksemburga, Belgii i Francji. Zasięg pasma
Eifel wyznacza Akwizgran na północy, Trewir na południu i Koblencja
na wschodzie. Gmina Hümmel leży na jego wschodnim skraju, w Nadre-
nii-Palatynacie.

PRZYJAŹNIE

Dawno temu w jednym ze starych rezerwatów lasu bukowego w moim rewirze zobaczyłem osobliwe omszałe kamienie. Już wcześniej wielokrotnie przechodziłem obok, nie zwracając na nie uwagi, jednak pewnego dnia zatrzymałem się i pochyliłem w ich stronę. Kształt miały przedziwny, lekko pofałdowany, z wgłębieniami, a gdy uniosłem mech, zobaczyłem pod spodem korę drzewa. Nie był to więc kamień, tylko stare drewno. A ponieważ buczyna na wilgotnej ziemi butwieje w ciągu paru lat, byłem zaskoczony, jaka jest twarda. Przede wszystkim jednak nie mogłem jej podnieść, najwyraźniej była mocno związana z ziemią. Scyzorykiem ostrożnie zeskrobałem trochę kory i natknąłem się na zieloną warstwę. Zieleń? Ten barwnik istnieje tylko pod postacią chlorofilu, który występuje w liściach i jest gromadzony jako rezerwa w pniach żywych drzew. Jedyne wyjaśnienie było takie, że ten kawał drewna wcale nie jest martwy! Pozostałe „kamienie" szybko dopełniły logicznego obrazu, ponieważ tworzyły krąg o średnicy półtora metra. Chodziło o sękate pozostałości ogromnego, prastarego pniaka. Zachowały się już tylko szczątki jego dawnej krawędzi, a całe wnętrze dawno zamieniło się w próchnicę – widoma poszlaka świadcząca o tym, że pień musiał zostać zwalony przed czterystu, pięciuset laty. Ale w jaki sposób jego żywe pozostałości mogły tak długo przetrwać? W końcu komórki zużywają pokarm w formie cukrów, muszą oddychać i przynajmniej troszeczkę rosną. Tyle że bez liści, a tym samym bez fotosyntezy, jest to niemożliwe. Żadna istota na naszej planecie nie wytrzyma kilkusetletniej głodówki i dotyczy to również szczątków drzew. A przynajmniej pniaków, które są zdane same na siebie. Jednak w przypadku tego okazu sprawy najwyraźniej miały się inaczej. Uzyskał wsparcie od sąsiednich drzew – poprzez korzenie. Niekiedy istnieje tylko luźne połączenie poprzez grzybnię, która otula wierzchołki korzeni i pomaga im w wymianie składników pokarmowych, czasem jednak pojawiają się także bezpośrednie zrosty. Nie mogłem sprawdzić, jak rzecz się miała w tym wypadku, bo nie chciałem zaszkodzić staremu pniakowi kopaniem. Jedno wszakże było bezsporne – otaczające go buki pompowały weń roztwór cukrów, by zachować go przy życiu. To, że drzewa łączą się ze sobą korzeniami, można czasami zaobserwować na przydrożnych skarpach. Deszcze wymywają ziemię i odsłaniają podziemną sieć. W Górach Harcu* naukowcy ustalili, że w istocie mamy do czynienia z zawikłanym systemem, który łączy większość osobników

---

* Najwyższe góry północnych Niemiec, leżące na styku trzech landów – Dolnej Saksonii, Saksonii-Anhalt i Turyngii.

jednego gatunku w drzewostanie. Wymiana składników pokarmowych – sąsiedzka pomoc w razie potrzeby – jest widocznie regułą, co prowadzi do stwierdzenia, że lasy stanowią superorganizmy, czyli są podobnymi tworami jak na przykład mrowiska.

Naturalnie, można by także zadać pytanie, czy przypadkiem korzenie drzew nie rozrastają się w ziemi bezmyślnie we wszystkie strony i gdy natrafią na krewniaka z tego samego gatunku, po prostu łączą się z nim, a potem z musu wymieniają składniki pokarmowe, budują rzekomą wspólnotę, nie doświadczając wszakże niczego poza przypadkowymi aktami brania i dawania. Piękna wizja czynnej pomocy zostałaby zastąpiona zasadą przypadku, mimo że już samo istnienie takich mechanizmów oznaczałoby korzyści dla ekosystemu lasu. Tyle że natura tak prosto nie działa, jak stwierdza Massimo Maffei z Uniwersytetu Turyńskiego w czasopiśmie „MaxPlanckForschung" (2007, nr 3, s. 65) – rośliny, a wobec tego również i drzewa, świetnie potrafią odróżniać własne korzenie od korzeni obcego gatunku, a nawet od korzeni swych gatunkowych krewniaków.

Dlaczego jednak drzewa są do tego stopnia istotami społecznymi, dlaczego dzielą się pokarmem z krewniakami z tego samego gatunku, a przez to tuczą konkurencję? Powody są identyczne z tymi, którymi kierują się ludzkie społeczności – razem łatwiej sobie radzić. Drzewo nie jest lasem, samo nie wytworzy lokalnego, zrównoważonego klimatu, jest bez reszty wydane na pastwę wiatru i pogody. Natomiast wiele drzew tworzy wspólnie ekosystem, który łagodzi skutki skrajnych upałów i mrozów, gromadzi dużą ilość wody i produkuje bardzo wilgotne powietrze. W takim środowisku drzewa mogą rosnąć bezpiecznie i dożywać matuzalemowego wieku. By to osiągnąć, społeczność musi za wszelką cenę trzymać się razem. Gdyby wszystkie okazy troszczyły się tylko o siebie, wówczas niejeden nie doczekałby starości. Skutkiem bezustannych zgonów byłoby mnóstwo dużych dziur w sklepieniu drzewostanu, przez co burze łatwiej dostawałyby się do środka i obalały kolejne drzewa. Letni upał przenikałby aż do leśnej gleby i wysuszał ją. Wszyscy by cierpieli.

A zatem każde drzewo jest cenne dla społeczności i zasługuje na jak najdłuższe utrzymywanie przy życiu. Z tego powodu nawet chore okazy zyskują wsparcie i zaopatrzenie w składniki pokarmowe, póki nie wyzdrowieją. Następnym razem sytuacja może się przecież odwrócić i pomocy będzie potrzebować drzewo dziś świadczące wsparcie. Grube, srebrzystoszare buki, które tak właśnie postępują, przypominają mi stado słoni. Ono także troszczy się o swych członków, pomaga chorym i słabym odzyskać siły i nawet martwych krewniaków porzuca z najwyższą niechęcią.

Każde drzewo jest częścią tej społeczności, niemniej istnieje pewna hierarchia. Na przykład większość pniaków ulega zmurszeniu i po kilku dekadach (jak na drzewa to bardzo szybko) przepada w leśnej próchnicy. Tylko nieliczne okazy są przez stulecia utrzymywane przy życiu, tak jak opisany wyżej „omszały kamień". Skąd się bierze ta różnica? Czyżby u drzew również istniało społeczeństwo dwuklasowe? Wygląda na to, że tak, jednak określenie „klasa" nie jest zbyt dokładne. Chodzi tu raczej o stopień przywiązania czy może nawet sympatii, która decyduje o gotowości do pomocy kolegom. Sami możecie to sprawdzić, spoglądając w górę, w korony drzew. Gałęzie przeciętnego drzewa rozrastają się dopóty, dopóki nie natrafią na czubki gałęzi równie wysokiego sąsiada. Dalej pójść nie można, ponieważ przestrzeń powietrzna, czy może raczej przestrzeń świetlna, jest już zajęta. A mimo to drzewa intensywnie wzmacniają najdalej wysunięte gałęzie, tak że powstaje wrażenie, iż tam w górze toczy się regularna walka. Jednakże para prawdziwych przyjaciół pamięta o tym, by nie wytwarzać zbyt grubych konarów od strony drugiego drzewa. Żadne z nich nie chce niczego odbierać towarzyszowi i dlatego wykształca potężne części koron tylko na zewnątrz, czyli w stronę „tych, którzy nie są przyjaciółmi". Takie pary są tak mocno splecione korzeniami, że niekiedy nawet razem umierają.

Przyjaźnie, które nakazują zaopatrywać w pokarm pniaki, można z reguły zaobserwować tylko w lasach naturalnych. Być może czynią tak wszystkie gatunki – widywałem długowieczne pniaki po ściętych drzewach, i to nie tylko po bukach, lecz także po dębach, sosnach, świerkach i daglezjach[*]. Sadzone lasy gospodarcze, do których przeważnie należą lasy iglaste Europy Środkowej, najwyraźniej zachowują się raczej jak dzieci ulicy (piszę o tym dalej, w rozdziale *Dzieci ulicy*). Wygląda na to, że z trudem łączą się w sieci, ponieważ sadzenie trwale uszkadza ich korzenie. Drzewa z takich lasów są z reguły samotnikami, przez co mają szczególnie ciężkie życie. Zresztą i tak większość nie będzie miała szans się zestarzeć, bo ich pnie w zależności od gatunku uważane są za dojrzałe do ścięcia w wieku mniej więcej stu lat.

---

[*] Daglezja, zwana też jedlicą, to pochodzące z Ameryki Północnej zimozielone drzewo iglaste z rodziny sosnowatych. W Polsce dobrze się czuje na północy, jest też chętnie uprawiana w parkach i ogrodach.

JĘZYK DRZEW

Język – według Dudena, jednego z najważniejszych słowników języka niemieckiego – jest zdolnością człowieka do wypowiadania się. A zatem tylko my możemy posługiwać się językiem, ponieważ pojęcie to ograniczone jest do naszego gatunku. Jednak czy nie byłoby ciekawe dowiedzieć się, czy przypadkiem drzewa również nie umieją mówić? Ale jak? Na pewno nie można ich usłyszeć, bo ewidentnie są ciche. Szuranie ocierających się o siebie na wietrze gałęzi, szelest liści zachodzą przecież przy biernym udziale drzew, które nie mają na to wpływu. Zwracają jednak na siebie uwagę w inny sposób – poprzez substancje zapachowe. Substancje zapachowe jako środki wyrazu? Nam, ludziom, też jest to nieobce – po co w końcu korzystamy z dezodorantów i perfum? A nawet bez sięgania po nie nasz własny zapach w równej mierze przemawia do świadomości i podświadomości innych osób. Woni niektórych ludzi po prostu znieść nie można, inni natomiast przyciągają bliźnich z ogromną siłą. Zgodnie z poglądami nauki zawarte w pocie feromony mają nawet rozstrzygające znaczenie przy wyborze partnera, czyli decydowaniu, z kim chcemy spłodzić potomstwo. Mamy zatem sekretny zapachowy język, a drzewa również co najmniej takim dysponują.

Już przed czterdziestu laty dokonano pewnej obserwacji na afrykańskich sawannach. Żyrafy pasą się tam na akacjach, co tym ostatnim zdecydowanie się nie podoba. W ciągu paru minut nasycają one liście toksycznymi substancjami, chcąc odpędzić wielkich roślinożerców. Żyrafy wiedzą o tym i odchodzą do następnych drzew. Następnych? Nie, najpierw starannie omijają parę akacji i dopiero po jakichś stu metrach podejmują posiłek. Powód jest zaskakujący – napoczęta akacja wydziela gaz ostrzegawczy (w tym wypadku etylen), który sygnalizuje rosnącym w pobliżu osobnikom tego samego gatunku, że zbliża się zagrożenie. Wtedy wszyscy ostrzeżeni krewniacy również nasycają liście toksynami, żeby się przygotować. Żyrafy znają tę sztuczkę i dlatego przenoszą się na sawannie trochę dalej, gdzie znajdują niczego niepodejrzewające drzewa. Bądź też żerują pod wiatr. A to dlatego, że zapachowe wieści niesione są z wiatrem do najbliższych drzew i jeżeli zwierzęta poruszają się pod wiatr, to tuż obok znajdą akacje, które nie mają pojęcia o ich obecności.

Tego rodzaju procesy przebiegają również w naszych rodzimych lasach. Wszystkie drzewa, czy to buki, świerki czy też dęby, boleśnie odczuwają, gdy ktoś je obgryza. Gdy gąsienica chapnie smaczny kęs, wokół miejsca ugryzienia zmienia się tkanka. Ponadto wysyła ona sygnały elektryczne, tak samo jak się to dzieje w ludzkim ciele, gdy zostanie zranione. Jednakże impuls ten nie rozchodzi się, jak u nas, w ciągu milisekund, lecz przemieszcza się w tempie zaledwie centymetra na minutę. Potem zaś musi minąć jeszcze godzina, nim liście zostaną nasycone substancjami obronnymi i zepsują obiad pasożytom[1]. Drzewa są bowiem powolne i nawet w razie niebezpieczeństwa jest to niewątpliwie maksymalna prędkość, na jaką mogą się zdobyć. Mimo niespiesznego tempa poszczególne części drzewnego organizmu bynajmniej nie funkcjonują odizolowane od siebie. Jeżeli na przykład korzenie przeżywają jakieś trudności, to informacja o tym rozchodzi się po całym drzewie i może spowodować, że liście zaczną wydzielać substancje zapachowe. I to nie przypadkowe, lecz specjalnie dobrane do konkretnego celu. Dzięki temu drzewa będą mogły w następnych dniach odeprzeć atak, bo w przypadku niektórych gatunków owadów rozpoznają, o jakiego obwiesia tu chodzi. Ślina każdego gatunku jest specyficzna i można ją zaklasyfikować. I to tak precyzyjnie, że za pomocą zapachowych wabików można planowo ściągnąć drapieżniki, które radośnie rzucą się na zarazę i w ten sposób dopomogą drzewu. Wiązy lub sosny zwracają się na przykład do błonkówek (jest to rodzaj małych os)[2]. Owady te składają jaja w pożerających liście gąsienicach. W nich rozwija się osie potomstwo, wyjadające od środka, kawałek po kawałku, gąsienicę motyla. Paskudna śmierć. Jednak w ten sposób drzewa uwalniają się od uciążliwych pasożytów i mogą rosnąć dalej bez szkody.

Rozpoznawanie śliny jest przy okazji dowodem kolejnego talentu drzew – muszą posiadać również zmysł smaku.

Wadą substancji zapachowych jest wszakże to, że prędko rozrzedza je wiatr. Dlatego też często nie docierają nawet na odległość stu metrów. Jednak osiągają przy tym inny cel. Przesyłanie sygnału w obrębie drzewa przebiega bardzo powoli, za to może on sprawniej pokonywać większe odległości drogą powietrzną i dużo szybciej ostrzec znajdujące się wiele metrów dalej części własnego organizmu.

Często nie trzeba nawet wcale specjalnego wołania o pomoc, koniecznego do obrony przed owadami. Świat zwierząt z zasady rejestruje chemiczne przekazy drzew i orientuje się, że trwa jakiś atak, a atakujące gatunki właśnie przeprowadzają ofensywę. Komu smakują tego rodzaju drobne organizmy, tego ciągnie w tamtą stronę z nieodpartą siłą. Drzewa jednak potrafią też same się bronić. Na przykład dęby nasączają korę i liście gorzkimi i trującymi garbnikami. Zabijają one żerujące owady bądź też przynajmniej zmieniają smak liści i kory do tego stopnia, że pyszna sałatka zamienia się w żrącą żółć. Wierzby wytwarzają do obrony salicynę, która działa podobnie. Akurat na nas, ludzi, nie – herbatka z kory wierzbowej może uśmierzyć ból głowy oraz gorączkę i uchodzi za poprzedniczkę aspiryny.

Tego typu obrona naturalnie wymaga czasu. I dlatego kluczowe znaczenie ma współpraca na wczesnym etapie ostrzegania. Tu jednak drzewa polegają nie tylko na drodze powietrznej, bo wtedy przecież nie wszyscy sąsiedzi zwietrzyliby niebezpieczeństwo. Wolą raczej wysyłać wiadomości także przez korzenie, które łączą w sieć wszystkie osobniki i działają niezależnie od pogody. Co zaskakujące, wiadomości są przekazywane nie tylko chemicznie, ale nawet elektrycznie, i to z prędkością centymetra na sekundę.

W porównaniu z naszym ciałem to, przyznajmy, ekstremalnie wolno, jednakże w świecie zwierząt istnieją takie twory, jak meduzy czy robaki, u których przewodzenie bodźców jest podobnie powolne[3]. Jeżeli wieści się rozejdą, to wszystkie dęby dookoła zaczynają spiesznie pompować garbniki przez swe „żyły". Korzenie drzewa sięgają bardzo daleko, dalej niż dwie szerokości jego korony. W ten sposób dochodzi do przecinania się podziemnych odnóg sąsiednich drzew i do kontaktów w formie zrostów. Zresztą nie w każdym przypadku, bo również w lesie istnieją samotnicy i dziwacy, którzy nie chcą mieć z kolegami nic wspólnego. Czy takie dzikusy mogą blokować meldunki alarmowe, odmawiając po prostu swego udziału? Na szczęście nie, gdyż w celu zagwarantowania szybkiego rozchodzenia się wiadomości w sprawę z reguły włączane są grzyby. Działają one jak światłowodowe łącza internetu. Cienkie pasma grzybni przenikają glebę i oplatają ją siatką o trudno wyobrażalnej gęstości. Łyżeczka do herbaty leśnej gleby zawiera bowiem dobrych kilka kilometrów strzępków grzyba[4]. Jeden tylko okaz jest w stanie w ciągu stuleci rozprzestrzenić się na powierzchni kilku kilometrów kwadratowych i w ten sposób opleść siatką całe lasy. Swoimi nitkami przekazuje sygnały od jednego drzewa do drugiego i pomaga im w wymianie wiadomości o owadach, suszach czy innych niebezpieczeństwach. Dziś już nawet nauka mówi o „Wood-Wide-Web", która oplata nasze lasy. Jednak przed nami jeszcze badania nad tym, co takiego i w jakiej ilości jest przekazywane tą drogą. Bardzo możliwe, że również rozmaite gatunki drzew kontaktują się między sobą, nawet jeśli traktują się jak konkurencję. Grzyby zaś realizują własną strategię, a ta może być bardzo mediacyjna i ugodowa.

Gdy drzewom szwankuje zdrowie, wtedy zapewne maleje nie tylko ich odporność, lecz również chęć do rozmowy. Inaczej trudno wyjaśnić, dlaczego atakujące owady z premedytacją wyszukują sobie chorowite okazy. Można przyjąć hipotezę, że w tym celu przysłuchują się drzewom, rejestrują niespokojne chemiczne okrzyki ostrzegawcze i sprawdzają milczące osobniki, nadgryzając korę czy liść. Być może przyczyną milkliwości rzeczywiście jest poważna choroba, jednak czasami również utrata grzybni, przez co drzewo zostaje odcięte od wszelkich nowinek. Nie rejestruje już zbliżającej się katastrofy i bufet dla gąsienic oraz chrząszczy zostaje otwarty. Równie podatni są zresztą wcześniej opisani samotnicy, którzy wprawdzie sprawiają wrażenie zdrowych, ale nie mają pojęcia o tym, co się dzieje.

Biocenozę lasu tworzą nie tylko drzewa, lecz także krzewy i trawy, a być może nawet wszystkie gatunki roślin, które porozumiewają się ze sobą w opisany sposób. Jeśli jednak wyjdziemy na pola, to zieleń okazuje się bardzo milcząca. Nasze rośliny uprawne w przeważającej mierze zatraciły wskutek hodowli zdolność prowadzonego pod lub nad ziemią dialogu. Są jakby głuche i nieme, przez co stają się łatwym łupem owadów[5]. To jeden z powodów, dla których nowoczesne rolnictwo stosuje tyle preparatów opryskowych. Być może hodowcy mogliby w przyszłości podpatrzyć parę rozwiązań u lasów i drogą krzyżowań ponownie zaprowadzić wśród zbóż i ziemniaków nieco dzikości, a w ślad za nią gadatliwość.

Komunikacja między drzewami i owadami nie musi się obracać wyłącznie wokół tematów obrony i choroby. Prawdopodobnie sami już kiedyś zauważyliście bądź wywąchaliście, że tak odmienne istoty wymieniają między sobą mnóstwo z gruntu pozytywnych sygnałów. Chodzi tu mianowicie o przyjemne wiadomości zapachowe rozsyłane przez kwiaty. Rozsiewają zapach nie za sprawą przypadku lub chęci przypodobania się nam. Drzewa owocowe, wierzby czy kasztanowce przyciągają uwagę zapachowymi komunikatami i zapraszają pszczoły do zatankowania paliwa u siebie. Nektar, skoncentrowany słodki sok, jest nagrodą za zapylanie, którego owady przy okazji dokonują. Kształt i kolor kwiatu są także sygnałem, czymś w rodzaju tablicy reklamowej, która wyraźnie odcina się od zielonej masy korony drzewa i wskazuje drogę do przekąski. A zatem drzewa porozumiewają się węchowo, optycznie i elektrycznie (za pomocą pewnego rodzaju komórek nerwowych na wierzchołkach korzeni). Co w takim razie z dźwiękami, czyli ze słyszeniem i mówieniem?

Wprawdzie powiedziałem na początku, że drzewa są zdecydowanie ciche, ale najnowsze odkrycia mogą nawet i to twierdzenie podać w wątpliwość. Monica Gagliano z University of Western Australia wraz z kolegami z Bristolu i Florencji zaczęła bowiem po prostu podsłuchiwać, co się dzieje w ziemi[6]. W laboratorium drzewa raczej się nie zmieszczą, dlatego zamiast nich badano łatwiejsze w obsłudze siewki zbóż. I rzeczywiście – już wkrótce aparatury pomiarowe zarejestrowały ciche trzaski korzeni przy częstotliwości dwustu dwudziestu herców. Trzeszczące korzenie? To jeszcze nie musi nic znaczyć, w końcu nawet martwe drewno trzeszczy najpóźniej w momencie, w którym pali się w piecu. Jednak stwierdzone w laboratorium odgłosy były słyszane nie tylko przez badaczy. Reagowały na nie korzenie postronnych siewek. Zawsze gdy wystawiano je na trzaski o częstotliwości dwustu dwudziestu herców, ich wierzchołki kierowały się w tę stronę. Oznacza to, że trawa może rejestrować, powiedzmy śmiało – „słyszeć", tę częstotliwość. Wymiana informacji za pomocą fal dźwiękowych u roślin? Budzi to ciekawość, bo przecież i my, ludzie, jesteśmy przysposobieni do komunikacji dźwiękowej i może to byłby klucz do lepszego zrozumienia drzew. Trudno nawet ogarnąć myślą, co by to było, gdybyśmy mogli usłyszeć, czy bukom, dębom i świerkom dobrze się wiedzie lub też czy może im czegoś brakuje. Niestety, tak daleko jeszcze nie zaszliśmy, badania na tym polu dopiero raczkują. Jednak gdy podczas najbliższego spaceru po lesie usłyszycie ciche trzaski, to może nie będzie to tylko wiatr...

URZĄD OPIEKI SPOŁECZNEJ

Właściciele ogrodów często zadają mi pytanie, czy ich drzewa nie rosną zbyt blisko siebie. W końcu zabierają sobie w ten sposób światło i wodę. Ta troska wywodzi się z gospodarki leśnej – według jej wytycznych pnie powinny jak najszybciej osiągać pożądaną grubość i dojrzałość rębną, a w tym celu potrzebują dużo miejsca i równomiernie okrągłej, wielkiej korony. Dlatego też regularnie co pięć lat są one uwalniane od potencjalnych konkurentów, których się po prostu wycina. A ponieważ drzewa z takich lasów nie mają możliwości się zestarzeć, gdyż wędrują do tartaku już w wieku stu lat, niemal się nie zauważa negatywnych skutków, jakie ponoszą na zdrowiu. Jakich negatywnych skutków? Czyż to nie brzmi logicznie, że drzewo lepiej rośnie, gdy oswobodzi się je od uciążliwej konkurencji i zapewni mnóstwo słonecznego światła w koronie oraz pełno wody wokół korzeni? Wszystko się zgadza, jeśli chodzi o okazy należące do różnych gatunków. Faktycznie walczą one ze sobą o lokalne zasoby. Jednak w wypadku drzew z tego samego gatunku sytuacja wygląda inaczej. Wspominałem już, że na przykład buki są zdolne do przyjaźni i nawet potrafią się wzajemnie karmić. Las widocznie nie ma żadnego interesu w pozbywaniu się swych słabszych członków. Zaczęłyby wtedy powstawać luki, które by zakłóciły wrażliwy mikroklimat wraz z panującym w lesie półcieniem i wysoką wilgotnością powietrza. Oczywiście, każde drzewo mogłoby samo swobodnie się rozwijać i wieść zindywidualizowane życie. Mogłoby, lecz tego nie robi, bo przynajmniej buki najwyraźniej przywiązują dużą wagę do sprawiedliwości wyrównawczej. Vanessa Bursche z politechniki RWTH[*] w Akwizgranie ustaliła, że w lasach bukowych, w które nie ingerowano, można dokonać specyficznego odkrycia w kwestii fotosyntezy. Drzewa wyraźnie dostrajają się do siebie w ten sposób, że wszystkie osiągają tę samą produktywność. A to nie jest rzecz oczywista. Każdy buk rośnie na miejscu, które jest jedyne w swoim rodzaju. Gleba może być wszak kamienista lub bardzo luźna, mocno nawodniona lub zawierać niewiele wody, może być bogata w składniki pokarmowe lub skrajnie uboga – w obrębie kilku metrów warunki mogą się znacznie od siebie różnić. I odpowiednio do tego każde drzewo ma inne warunki wzrostu, czyli rośnie szybciej lub wolniej, może więc wytwarzać mniej lub więcej cukrów i drewna. Tym bardziej zaskakujące są wyniki pracy badawczej – drzewa wzajemnie wyrównują swe słabe i mocne strony. Wszystkie osobniki tego samego gatunku, niezależnie od tego, czy

---

[*] Pełna nazwa uczelni brzmi: Rheinisch-Westfälische Technische Hochschule Aachen.

są grube, czy chude, produkują dzięki światłu podobne ilości cukru na liść. Usuwanie nierówności dokonuje się pod ziemią poprzez korzenie. Zachodzi tam najwyraźniej żywa wymiana. Ten, komu zbywa, dzieli się z innymi, biedak dostaje pomoc w potrzebie. I tu znowu angażuje się grzyby, których olbrzymia sieć funkcjonuje jak gigantyczna maszyna dystrybucyjna. Przypomina to nieco system pomocy społecznej, który zapobiega temu, by poszczególni członkowie naszego społeczeństwa nie upadli zbyt nisko.

Buki w ogóle nie słyszały o tym, że można rosnąć zbyt gęsto. Wręcz przeciwnie, mile widziane są grupowe przytulanki, często odległość między drzewami wynosi mniej niż metr. Korony są przez to małe i ściśnięte, a wielu leśników uważa nawet, że nie wychodzi to drzewom na dobre. Z tego powodu rozdzielają je wycinkami, czyli usuwają te jakoby nadmiarowe. Jednakże moi koledzy po fachu z Lubeki ustalili, że las bukowy rosnący w dużym zagęszczeniu jest produktywniejszy. Zauważalnie zwiększony roczny przyrost biomasy, zwłaszcza drewna, dowodzi zdrowia leśnej gromady. Widać wspólnymi siłami da się optymalnie rozdzielić składniki pokarmowe i wodę między wszystkich zainteresowanych, tak że każde drzewo może osiągnąć maksimum możliwości. Jeżeli „pomaga" się poszczególnym okazom pozbyć się rzekomej konkurencji, to pozostałe drzewa stają się pustelnikami. Próby nawiązania kontaktów z sąsiadami trafiają w próżnię, bo przecież są już tam tylko pniaki. Każdy działa na własną rękę, bez ładu i składu, przez co dochodzi do znacznych różnic w produktywności. Niektóre osobniki jak oszalałe prowadzą fotosyntezę, tak że cukier aż się pieni. Rosną przez to lepiej, są w dobrej kondycji, ale jednak nie żyją szczególnie

długo. Miarą dobrostanu drzewa jest bowiem dobrostan ota-
czającego go lasu. A tutaj przecież rośnie także wielu przegranych. Słabsi, których dawniej wspierali silniejsi towarzysze,
od razu znaleźli się na gorszej pozycji. Niezależnie od tego,
czy powodem ich słabości jest stanowisko, na którym rosną,
i brak składników pokarmowych, przejściowe dolegliwości
czy też wyposażenie genetyczne, będą teraz łatwym łupem
dla owadów i grzybów. Czyż jednak nie o to chodzi w ewolucji – o przetrwanie jedynie najsilniejszych? Słysząc takie pytanie, drzewa tylko potrząsnęłyby głową, czy raczej koroną.
Ich dobrostan zależy od całej społeczności i gdy znikają te
rzekomo najsłabsze, wówczas giną także pozostałe. Las traci
zwartość, gorące słońce i porywiste wiatry mogą teraz hulać
aż do samej ziemi i zmieniać wilgotno-chłodny klimat. Silne
drzewa również parokrotnie w ciągu życia zapadają na różne
choroby i w takiej sytuacji są zdane na wsparcie słabszych
sąsiadów. Jeśli ich zabraknie, wystarczy nieszkodliwe porażenie owadami, żeby przypieczętować nawet los gigantów.

Sam kiedyś dałem asumpt do nadzwyczajnego przypadku pomocy. W pierwszych latach pracy jako leśnik kazałem
obrączkować młodsze buki. Usuwa się wtedy pas kory na
wysokości metra, by doprowadzić do obumarcia drzewa.
W końcu jest to metoda trzebieży lasu, w której nie obala
się drzew, lecz pozostawia w lesie uschnięte pnie jako martwe drewno. Robią one jednak miejsce żywym drzewom, bo
ich korony są pozbawione liści i przepuszczają wiele światła
w stronę sąsiadów. Brzmi to brutalnie? Też tak uważam, ponieważ śmierć zostaje odwleczona tylko o parę lat i dlatego
nie zdecydowałbym się już na coś takiego. Widziałem, jak
buki walczą ze wszystkich sił, a przede wszystkim widziałem,

że niektóre z nich zdołały przeżyć do tej pory. W normalnych warunkach byłoby to niemożliwe, bo drzewo pozbawione kory nie może odprowadzić cukrów z liści do korzeni. Korzenie umierają więc z głodu, przestają pełnić funkcję pomp, a gdy woda przestaje docierać poprzez drewno pnia do korony, całe drzewo usycha. Jednak wiele okazów dzielnie rosło nadal z mniejszym lub większym sukcesem. Dzisiaj wiem, że było to możliwe tylko dzięki pomocy całych i zdrowych sąsiadów. Przejęli oni przerwaną działalność aprowizacyjną korzeni za pomocą własnej podziemnej sieci i tym sposobem umożliwili przetrwanie kompanów. Niektórym nawet się udało pokryć ubytki w korze nową tkanką i szczerze przyznaję – za każdym razem głupio się czuję, gdy widzę, czego się wówczas dopuściłem. Tak czy owak nauczyło mnie to, jak potężna może być społeczność drzew. Łańcuch jest tak silny, jak jego najsłabsze ogniwo – autorami tego starego porzekadła spokojnie mogłyby być drzewa. A ponieważ intuicyjnie to wiedzą, bezwarunkowo sobie pomagają.

MIŁOŚĆ

Niespieszność drzew widać także w sprawach rozmnażania się, gdyż reprodukcja planowana jest co najmniej z rocznym wyprzedzeniem. Ale to, czy każdej wiosny rodzi się miłość wśród drzew, zależy od ich przynależności. Bo podczas gdy drzewa iglaste w miarę możności co roku wysyłają swe nasiona w świat, to drzewa liściaste przyjęły zupełnie inną strategię. Zanim dojdzie do kwitnienia, trzeba najpierw uzgodnić parę kwestii. Czy najbliższej wiosny wziąć się ostro do roboty, czy też lepiej zaczekać jeszcze rok lub dwa? Drzewa w lesie najchętniej kwitłyby wszystkie naraz, ponieważ wtedy geny wielu osobników mogą się porządnie wymieszać. Tak wygląda sytuacja u drzew iglastych, jednakże drzewa liściaste mają na uwadze jeszcze jedną kwestię – dziki i sarny. Te zwierzęta wprost szaleją za bukwią i żołędziami, które pomagają im obrosnąć w sadło na zimę. Wilczy apetyt na te owoce łatwo wytłumaczyć, bo zawierają one do pięćdziesięciu procent oleju i skrobi – trudno o lepszą karmę. Jesienią zwierzęta często przeczesują całe połacie lasu w poszukiwaniu ostatniego orzeszka, tak że wiosną kiełkują ledwie niedobitki drzewnego potomstwa. Z tego właśnie powodu drzewa uzgadniają między sobą działania reprodukcyjne. Jeśli nie kwitną co roku, to dziki i sarny muszą się z tym liczyć w swoich planach. Mają umiarkowany przychówek, bo ciężarne samice muszą przetrwać w zimie długi, głodny okres, co nie wszystkim się udaje. A gdy w końcu wszystkie buki i dęby zakwitną jednocześnie i wytworzą owoce, wówczas niewielka liczba roślinożerców nie jest w stanie ich przejeść i zawsze dostatecznie dużo nieodkrytych nasion uchowa się i zakiełkuje. W takich latach dziki potrafią potroić stopę urodzeń, bo przez całą zimę znajdują wystarczająco dużo jedzenia. Z dawniejszych czasów pochodzi w języku niemieckim określenie „lata tuczne", które stosowano w odniesieniu do sezonów zwiększonej produkcji nasion buków i dębów. Ludność wiejska wykorzystywała ten dar losu ku pożytkowi oswojonych krewniaków dzików, świń domowych, i wyganiała je do lasów. Przed ubojem miały się upaść na dzikich owocach i porządnie obrosnąć sadłem. Pogłowie dzików zwykle załamuje się w kolejnym roku, ponieważ drzewa znowu robią sobie przerwę i leśna gleba świeci pustkami.

Kwitnienie w kilkuletnich odstępach ma również poważne skutki dla owadów, zwłaszcza dla pszczół. Odnosi się do nich bowiem ta sama zasada co do dzików – kilkuletnia przerwa oznacza załamanie populacji. Lub raczej, mówiąc bardziej precyzyjnie, oznaczałaby, gdyby pszczoły potrafiły tworzyć duże populacje. Nie tworzą ich jednak, gdyż prawdziwe leśne drzewa gwiżdżą na małych pomocników. Na co może im się przydać kilku zapylaczy, gdy na setkach kilometrów kwadratowych otwierają się miriady kwiatów? Drzewa musiały więc wymyślić coś innego, coś bardziej godnego zaufania, co nie żąda daniny. A cóż bardziej oczywistego niż zaprzęgnięcie wiatru do pomocy? Porywa pyłki z kwiatów niczym drobiny kurzu i niesie do sąsiednich drzew. Prądy powietrzne mają jeszcze jedną zaletę – funkcjonują również w niższych temperaturach, nawet gdy jest mniej niż dwanaście stopni, a to granica, poniżej której dla pszczół jest już zbyt zimno i zostają w domu. Prawdopodobnie dlatego tę strategię wykorzystują także drzewa iglaste. Zasadniczo nie jest im niezbędna, bo kwitną niemal co roku. Nie muszą też obawiać się dzików, bo dla nich maleńkie nasionka świerków i spółki nie są atrakcyjnym pożywieniem. Istnieją wprawdzie takie ptaki jak krzyżodzioby świerkowe, które – jak sama nazwa wskazuje – podważają szyszkę mocnym dziobem, skrzyżowanym na końcu, i wyjadają nasiona, jednak z uwagi na ich ogólną liczbę nie wydaje się, by te ptaki stanowiły wielki problem. A ponieważ chyba żadne zwierzę nie gromadzi nasion drzew iglastych w charakterze zapasów na zimę, drzewa zaopatrują swój potencjalny przychówek w śmigiełka na drogę. Dzięki nim nasiona opadają z gałęzi powolnym lotem, a podmuchy wiatru mogą je unieść w dowolną stronę. Drzewo iglaste nie musi w każdym razie stosować przerwy w kwitnieniu tak jak buk czy dąb.

Można odnieść wrażenie, jak gdyby świerki i spółka chciały przelicytować przy rozrodzie drzewa liściaste, wytwarzają bowiem ogromne ilości pyłku. Tak ogromne, że nad kwitnącymi lasami iglastymi unoszą się przy najlżejszym wietrze olbrzymie chmury pyłu i wygląda to tak, jakby spomiędzy koron wydobywał się dym z ogniska. Od razu nasuwa się pytanie, w jaki sposób przy takim chaosie można uniknąć chowu wsobnego. Drzewa tylko dlatego dotrwały do dzisiejszych czasów, że w obrębie gatunku wykazują dużą genetyczną różnorodność. Jeżeli więc wszystkie jednocześnie wyrzucają pyłek, oznacza to, że maleńkie ziarenka wszystkich okazów mieszają się i przenikają korony wszystkich drzew. A ponieważ własne pyłki występują w szczególnie wysokim stężeniu wokół danego organizmu, zachodzi duże niebezpieczeństwo, że w końcu zapłodnią również własne kwiaty żeńskie. Jednak to właśnie, z opisanego wyżej powodu, drzewom się w ogóle nie podoba. W ramach samoobrony wykształciły więc rozmaite strategie. Niektóre gatunki, na przykład świerki, kładą nacisk na właściwy moment. Kwiaty męskie i żeńskie rozwijają się w pewnym odstępie czasu, tak że te ostatnie w przeważającej mierze są zapylane przez obce pyłki innych osobników tego samego gatunku. Czereśnie, które zdają się na owady, nie mają tej możliwości. W ich wypadku męskie i żeńskie organy płciowe tkwią w tym samym kwiecie. Ponadto – co jest rzadkością u autentycznie leśnych gatunków – czereśnię mogą zapylać pszczoły, które systematycznie przeszukują korony drzew i przy okazji, chcąc nie chcąc, rozprowadzają niesiony na sobie pyłek. Jednakże czereśnia jest wysoce wrażliwa i orientuje się, kiedy grozi jej niebezpieczeństwo chowu wsobnego. Pyłek, którego delikatne łagiewki po zetknięciu z żeńskim znamieniem chcą w nie wniknąć i wrastać dalej, aż do komórki jajowej, podlega kontroli. Jeżeli to własny pyłek, jego łagiewki zostają zablokowane i marnieją. Przepuszczany jest tylko obcy, dobrze rokujący genom, z którego powstaną później nasiona i owoce. Po czym drzewo poznaje, kto jest swój, a kto obcy? Do dziś dnia dokładnie tego nie wiemy. Wiadomo zaledwie tyle, że aktywowane w procesie zapłodnienia geny muszą do siebie pasować. Równie dobrze można by powiedzieć – drzewo to czuje. Czyż fizyczna miłość także i u nas nie znaczy więcej niż wyrzut feromonów, które z kolei aktywują wydzielanie hormonów? To, w jaki sposób drzewa odczuwają akty płciowe, zapewne jeszcze długo pozostanie w sferze spekulacji.

Niektóre gatunki ze szczególną gorliwością zapobiegają chowowi wsobnemu w ten sposób, że każdy osobnik jest tylko jednej płci. Tak więc istnieją zarówno męskie, jak i żeńskie wierzby iwy, które siłą rzeczy nigdy nie rozmnażają się same ze sobą, lecz zawsze z innymi drzewami. Wierzby nie są zresztą drzewami prawdziwie leśnymi. Rozprzestrzeniają się na siedliskach pionierskich, czyli wszędzie tam, gdzie nie rośnie jeszcze las. To, że na takich powierzchniach rosną tysiące kwitnących ziół i krzewów, które przyciągają pszczoły, każe wierzbom zdać się na owady w kwestii zapylania. Tu jednak pojawia się pewien problem: pszczoły muszą najpierw polecieć do męskich wierzb, tam załadować pyłek, po czym przetransportować go do żeńskich drzew. W odwrotnej kolejności nie doszłoby przecież do zapłodnienia. Jak więc to zrobić, będąc drzewem, jeśli obie płcie mają kwitnąć jednocześnie? Uczeni ustalili, że wszystkie wierzby wydzielają jeszcze zapach wabiący, który ściąga pszczoły. Gdy owady przybędą już na obszar docelowy, trzeba skierować je za pomocą środków wizualnych we właściwą stronę. W tym celu męskie wierzby z kotkami prężą się dziarsko, te zaś lśnią jasną żółcią. To kieruje na nie uwagę pszczół. Gdy owady spożyją pierwszy posiłek pełen cukrów, wtedy zbaczają nieco z drogi i odwiedzają niepozorne, zielonkawe kwiatki żeńskich wierzb[7].

Chów wsobny w wersji znanej ssakom, czyli w obrębie spokrewnionej populacji, zdarza się oczywiście mimo wszystkich opisanych środków zaradczych. Ponieważ jednak i wiatr, i pszczoły włączają się do akcji – przemierzają znaczne odległości i powodują, że przynajmniej część drzew otrzymuje pyłek od swych daleko rosnących krewniaków – miejscowa pula genów jest stale odświeżana. Jedynie występujące w całkowitej izolacji rzadkie gatunki drzew, u których niewiele okazów rośnie razem, mogą utracić swą różnorodność, a przez to stać się podatniejsze na choroby i wreszcie po kilkuset latach zginąć bez śladu.

DRZEWNA LOTERIA

Drzewa żyją w poczuciu wewnętrznej równowagi. Starannie rozkładają siły, bo muszą tak gospodarować, by zaspokoić wszystkie swe potrzeby. Część energii idzie na wzrost. Gałęzie trzeba wydłużyć, pień musi przybrać w obwodzie, by unieść rosnący ciężar. Trzeba zmagazynować trochę rezerw na wypadek ataku owadów czy grzybów, żeby drzewo mogło natychmiast zareagować i uaktywnić środki odstraszające w liściach i korze. Na koniec pozostaje jeszcze sprawa prokreacji. W wypadku gatunków kwitnących co roku ten wymagający wyjątkowego wysiłku akt jest uwzględniany w starannie wypracowanej zrównoważonej gospodarce energią. Całkowicie jednak wytrąca on z równowagi takie gatunki, jak buki czy dęby, które kwitną co trzy, cztery lub pięć lat. Większa część energii jest już inaczej rozplanowana; ponadto bukiew i żołędzie są produkowane w takich ilościach, że wszystko inne schodzi na dalszy plan. Zaczyna się to od miejsca na gałęziach. Kwiaty właściwie już się tam nie zmieszczą i dlatego odpowiednio dużo liści musi im zwolnić swoje etatowe miejsce. Gdy zwiędłe kwiaty opadną, drzewa wyglądają tak, jakby zostały podskubane. Nie dziwi zatem, że raporty o stanie lasu donoszą w takich latach o przerzedzonych koronach wspomnianych gatunków. Wszystkie te drzewa kwitną naraz, więc las na pierwszy rzut oka wydaje się chory.

Chory wprawdzie nie jest, ale jednak podatny na zachorowania. A to dlatego, że obfitość kwiatów powstaje dzięki wykorzystaniu ostatnich rezerw, dodatkowym zaś utrudnieniem jest zmniejszona przez to masa liści, które wyprodukują mniej cukrów niż w zwykłych latach. Poza tym większa ich część po przekształceniu w olej i tłuszcz ląduje w nasionach, tak że niewiele już zostaje dla samego drzewa i na ewentualne zapasy zimowe. Nie mówiąc już o rezerwach energetycznych, które zasadniczo są przewidziane do obrony przed chorobą. Mnóstwo owadów tylko na to czeka – na przykład mierzący ledwie dwa milimetry skoczonos bukowiec, który składa miliony jaj w młodym, bezbronnym listowiu. Maleńkie larwy wyżerają płaskie korytarze pomiędzy wierzchnią a spodnią stroną liścia i zostawiają na nim brązowe plamy. Wyrośnięty chrząszcz wygryza dziury w liściach, które potem wyglądają tak, jakby jakiś myśliwy posiekał je śrutówką. W niektórych latach buki są tak silnie porażone, że z daleka wydaje się, iż są brązowe, a nie zielone. W normalnych warunkach drzewa broniłyby się, dosłownie doprawiając owadom posiłek potężną porcją żółci. Jednak kwitnienie je wyczerpuje i w tym sezonie muszą w milczeniu przetrzymać atak. Zdrowe okazy jakoś to znoszą, zwłaszcza że później czeka je kilka lat odpoczynku. Jeśli jednak buk już wcześniej był chorowity, taka inwazja owadów może oznaczać dla niego ostateczny koniec. Nawet gdyby drzewo było tego świadome, nie powstrzymałoby go to od kwitnienia. Wiadomo, że w szczytowych okresach wymierania lasów kwitną często właśnie te okazy, które są w najbardziej opłakanym stanie. Prawdopodobnie chcą się jeszcze szybko rozmnożyć, zanim śmierć zagrozi im całkowitym unicestwieniem spuścizny genetycznej. Podobny efekt wywołuje „lato stulecia" – ekstremalna susza, która doprowadza niektóre drzewa do skrajnego wyczerpania, przez co w następnym roku kwitną wszystkie razem. Zarazem jasno z tego wynika, że dużo żołędzi i bukwi wcale nie wskazuje na to, że nadchodzi wyjątkowo sroga zima. W końcu kwiaty zawiązały się jeszcze latem poprzedniego roku, tak że obfitość owoców pozwala jedynie na ocenę minionego sezonu.

O niskiej odporności świadczy także wygląd nasion jesienią. Skoczonos bukowiec przewierca się również przez zalążnie i wprawdzie orzeszki bukowe mogą się jeszcze wytworzyć, jednak będą głuche, czyli puste, pozbawione jądra, a tym samym bezwartościowe.

Gdy nasiona opadną już z drzewa, każdy z gatunków przyjmuje własną strategię dotyczącą tego, kiedy mają zakiełkować. Jak to kiedy? Jeśli nasionka znajdą się w miękkiej, wilgotnej glebie, muszą przecież puścić kiełki w ciepłych promieniach wiosennego słońca. W końcu każdy dzień, w którym bezbronne zarodki drzew leżą porozrzucane wszędzie na ziemi, jest ekstremalnie niebezpieczny. Przecież dzikom i sarnom apetyt dopisuje również wiosną. A zatem przynajmniej gatunki wielkoowocowe, takie jak buki i dęby, nie marnują czasu. Młode latorośle kiełkują jak najszybciej z bukwi i żołędzi, by przez to stracić na atrakcyjności w oczach roślinożerców. A ponieważ innych rozwiązań nie przewidziano, nasiona nie mają też żadnej długotrwałej strategii obronnej przeciwko grzybom i bakteriom. Śpiochy, które przegapiły kiełkowanie i jeszcze w środku lata poniewierają się tu i ówdzie w niezmienionej postaci, zgniją do następnej wiosny.

Wiele innych gatunków daje wszakże swoim nasionom szansę odczekania roku czy nawet kilku lat, zanim wzejdą. Istnieje wprawdzie większe ryzyko pożarcia przez zwierzęta, ale są też istotne korzyści. Tak na przykład podczas suchej wiosny siewki mogą uschnąć i cała energia zainwestowana w potomstwo idzie na marne. Albo też sarna wyszukuje sobie rewir dokładnie w tym miejscu, w którym wylądowały nasionka, i z nich czyni podstawę swojej diety. Rozwijające się smakowite liścienie wędrują wówczas prosto do sarniego żołądka, nim zdążą przeżyć kilka dni. Jeżeli natomiast część nasion wykiełkuje dopiero po roku lub po kilku latach, to szanse tak się rozkładają, że w każdym wypadku może wyrosnąć przynajmniej kilka drzewek. Tak właśnie robią jarzębiny – ich nasiona mogą pozostawać w stanie spoczynku do pięciu lat, póki w sprzyjających warunkach nie ruszą. To odpowiednia strategia dla drzewa pionierskiego gatunku. Bo gdy bukiew i żołędzie zawsze spadają pod drzewa macierzyste, a ich siewki wschodzą w przewidywalnym, przyjaznym leśnym klimacie, to małe jarzębiny lądują dosłownie wszędzie. W końcu jest kwestią przypadku, gdzie ptak, który spożył cierpki owoc, wydali wreszcie nasiona wraz z porcją nawozu. Gdy będzie to otwarta przestrzeń, wówczas odczują skutki ekstremalnego lata z wyjątkowo wysokimi temperaturami i niedoborem wody o wiele mocniej niż te nasiona, które trafiły w chłodny i wilgotny cień starych lasów. Lepiej wtedy, żeby przynajmniej część pasażerów na gapę zbudziła się do nowego życia dopiero kilka lat później.

A co po przebudzeniu? Jak wyglądają szanse drzewnych dzieci na dorośnięcie i dorobienie się własnego potomstwa? Dość łatwo to policzyć. Patrząc statystycznie, każde drzewo wychowuje sobie następcę, który kiedyś zajmie jego miejsce. Dopóki to nie nastąpi, nasiona mogą wprawdzie kiełkować, a młode siewki wegetować w cieniu przez kilka czy nawet kilkadziesiąt lat, ale w którymś momencie opadają z sił. Nie są przecież jedyne. Dziesiątki innych roczników również rosną u stóp rodzica i stopniowo coraz więcej z nich poddaje się i na powrót przemienia w próchnicę. Ledwie paru szczęściarzy, których wiatr lub zwierzęta wyekspediowali na wolny skrawek leśnej gleby, może tam swobodnie wystartować i osiągnąć dorosłość.

Wróćmy do szans. Buk wytwarza co najmniej trzydzieści tysięcy sztuk bukwi co pięć lat (choć obecnie, wskutek zmian klimatycznych, nawet co dwa lub trzy lata, ale chwilowo nie będziemy tego brali pod uwagę). Dojrzałość płciową uzyskuje między osiemdziesiątym a sto pięćdziesiątym rokiem życia, w zależności od tego, ile światła otrzymuje na swoim stanowisku. Osiągnąwszy maksymalny wiek czterystu lat, może zatem co najmniej sześćdziesiąt razy wydać owoce i wytworzyć łącznie około miliona ośmiuset tysięcy orzeszków. I z tej liczby dokładnie jedna sztuka stanie się kiedyś dorosłym drzewem – jak na leśne stosunki to całkiem niezły procent, mniej więcej taki jak szansa wylosowania głównej nagrody na loterii. Wszystkie pozostałe, pełne nadziei zarodki zostaną albo pożarte przez zwierzęta, albo przekształcone w próchnicę przez grzyby i bakterie. Obliczmy według tego samego schematu, jakie szanse mają drzewne dzieci w najmniej sprzyjających okolicznościach, na przykład u topól. Owocujące drzewa produkują do dwudziestu sześciu milionów nasion – i to rocznie[8]. Z jaką radością te maluchy zamieniłyby się z bukowym potomstwem! Bo póki staruszkowie nie zejdą z tego świata, wytworzą ponad miliard nasionek, które dzięki puchowej otoczce wyruszą pocztą lotniczą w nowe rejony. I tu również z czysto statystycznego punktu widzenia może być tylko jeden zwycięzca.

POMALUTKU, POMALUTKU

Sam długo nie byłem świadom, jak wolno rosną drzewa. W moim rewirze rosną młode buki mierzące od jednego do dwóch metrów wysokości. Kiedyś dałbym im co najwyżej dziesięć lat. Gdy zacząłem się zajmować tajemnicami nienależącymi do gospodarki leśnej, przyjrzałem się temu jednak dokładniej. Wiek młodszych buków można całkiem dobrze oszacować na podstawie niewielkich węzłów na gałęziach. Te węzły to maleńkie zgrubienia, które wyglądają jak ułożone na sobie delikatne fałdki. Tworzą się każdego roku poniżej pączków, a gdy te najbliższej wiosny się rozwiną, a gałąź urośnie, węzeł pozostaje. Powtarza się to rok w rok, tak więc liczba węzłów jest identyczna z wiekiem drzewa. Gdy gałąź przekracza grubość trzech milimetrów, wówczas węzły znikają w rozrastającej się korze.

W wypadku badanych przeze mnie młodych buków okazało się, że dwudziestocentymetrowa gałązka ma aż dwadzieścia pięć takich zgrubień. Na pniu o parocentymetrowej grubości nie dało się już wprawdzie odkryć więcej wskazówek co do wieku, lecz gdy na podstawie wieku gałęzi ostrożnie oszacowałem wiek drzewa, musiałem przyjąć, że drzewko liczyło sobie co najmniej osiemdziesiąt lat, a być może było nawet o wiele starsze. Wydawało mi się to niewiarygodne, póki nie zacząłem się bliżej zajmować tematyką lasu pierwotnego. Teraz już wiem, że to zupełnie normalne. Małe drzewka chętnie rosłyby jak najszybciej, a przyrost pędu szczytowego o pół metra w sezonie w ogóle nie byłby problemem. Niestety, ich rodzice mają inne zdanie na ten temat. Ogromnymi koronami osłaniają cały swój przychówek i wraz z innymi dorosłymi drzewami tworzą gęsty dach nad lasem. Przepuszcza on na ziemię albo na liście ich dzieci tylko trzy procent światła słonecznego. Trzy procent – w praktyce tyle co nic. Starczy na tyle fotosyntezy, żeby jakoś utrzymać organizm przy życiu. Porządnego pędu, nie mówiąc już o okazalszym pniu, wypuścić się nie da. Bunt przeciwko tak surowemu wychowaniu jest niemożliwy, bo brakuje na to energii. Wychowaniu? Tak, rzeczywiście chodzi tu o metodę pedagogiczną, która służy wyłącznie dobru malucha. Pojęcie to zresztą nie jest wzięte z sufitu, tylko już od pokoleń służy niemieckim leśnikom do określania tego zjawiska[*].

Środkiem wychowawczym jest przykręcenie światła. Ale czemu służy to ograniczenie? Czyżby rodzice nie chcieli, by

---

[*] Użyte tu niemieckie słowo „*Erziehung*" oznacza wychowanie i to ma na myśli autor, pisząc o metodach pedagogicznych stosowanych przez drzewa. Leśnicy zaś używają tego pojęcia w odniesieniu do pielęgnacji drzew zmierzającej do ich odpowiedniego uformowania (przyp. Piotra Tyszki-Chmielowca).

ich potomstwo jak najszybciej się usamodzielniło? Najwyraźniej drzewa mają w tej sprawie inne poglądy, a niedawno uzyskały jeszcze wsparcie ze strony nauki. Stwierdziła ona, że powolny wzrost w młodości jest warunkiem osiągnięcia podeszłego wieku. My, ludzie, łatwo gubimy się w tym, co naprawdę oznacza starość, bo nowoczesna gospodarka leśna ustala wiek maksymalny w granicach od osiemdziesięciu do stu dwudziestu lat, gdy posadzone drzewa mogą być ścięte i zużytkowane. Jednak w naturalnych warunkach drzewa w tym wieku są dopiero grubości ołówka i wysokości człowieka. Ich komórki drewna we wnętrzu pnia są za sprawą powolnego wzrostu bardzo małe i zawierają niewiele powietrza. Są przez to elastyczne i odporne na złamania przez burze. Jeszcze ważniejsza jest zwiększona odporność na grzyby, które nie mają szans się rozprzestrzenić w łykowatym pniu. Dla takich drzew zranienia nie są dramatem, gdyż są w stanie spokojnie zasklepić rany, czyli pokryć je korą, zanim wda się zgnilizna. Odpowiednie wychowanie jest gwarantem długiego życia, jednakże czasem cierpliwość drzewnych dzieci jest wystawiana na ciężką próbę. Moje buczki, które czekają na swoją kolej już co najmniej osiemdziesiąt lat, rosną pod mniej więcej dwustuletnimi drzewami rodzicielskimi. Przeliczając to na ludzką miarę, byłyby czterdziestolatkami. Niewykluczone, że mikrusy będą musiały tak jeszcze wegetować ze dwa stulecia, póki wreszcie nie rozwiną skrzydeł. Umila im się zresztą czas oczekiwania. Rodzice nawiązują z nimi kontakt poprzez korzenie i przekazują cukry oraz inne składniki pokarmowe. Można by powiedzieć – karmią własną piersią drzewne oseski.

Sami możecie sprawdzić, czy młode drzewka jeszcze czekają, czy też właśnie zaczynają szybko rosnąć. W tym celu przyjrzyjcie się gałązkom niedużej jodły pospolitej lub buka. Jeżeli boczne gałązki są wyraźnie dłuższe od pionowego pędu przewodnika, to maluch znajduje się w stanie oczekiwania. Dostępnego światła nie starcza na energię potrzebną do wytworzenia dłuższego pnia, dlatego też malcy starają się jak najefektywniej wychwycić resztki słonecznych promieni. Rozpościerają więc ładnie gałęzie w poziomie i rozwijają przy tym specjalne, bardzo czułe i cienkie liście lub igły przystosowane do cienia. Często także u takich drzew nie sposób rozpoznać czubka – wyglądają raczej jak bonzai o płaskiej koronie.

Pewnego dnia nadchodzi wreszcie pora. Drzewo rodzicielskie osiągnęło już limit wieku albo zachorowało. Albo też do zagłady dochodzi w trakcie letniej burzy. Podczas potwornego oberwania chmury zmurszały pień nie jest w stanie utrzymać ważącej kilka ton korony i rozpada się na drobne kawałki. Gdy drzewo uderza o ziemię, miażdży kilka oczekujących siewek. Jednak dla reszty przedszkola powstała luka oznacza sygnał do startu, bo teraz wreszcie mogą uprawiać fotosyntezę ile dusza zapragnie. W tym celu muszą przeorientować przemianę materii, muszą wykształcić takie liście i igły, które mogą wytrzymać i przerobić silniejsze światło. Trwa to od roku do trzech lat. A później trzeba się już pospieszyć. Wszystkie maluchy chcą rosnąć, ale tylko te, które bez zwłoki strzelają w górę, liczą się w dalszym wyścigu. Skrzaty natomiast, które uważają, że najpierw mogą radośnie wypuszczać gałęzie to na lewo, to na prawo, i marudzą, zanim puszczą się wzwyż, mają gorsze widoki na przyszłość. Koledzy ich przerosną i znowu wylądują pod nimi, w półcieniu. Różnica polega na tym, że pod liśćmi szybszych podrostków jest jeszcze ciemniej niż pod drzewem rodzicielskim, bo przedszkole zużywa większość słabego światła. Z tego powodu maruderzy wyzioną ducha i przekształcą się w próchnicę.

Na drodze ku szczytowi czają się dalsze niebezpieczeństwa. Bo gdy tylko jasne światło słońca podkręci fotosyntezę i przyspieszy wzrost, pączki młodych pędów będą miały więcej cukrów. W stanie oczekiwania przypominały twarde, gorzkie pigułki, teraz jednak to pyszne pralinki – przynajmniej z punktu widzenia saren. I dlatego część drzewnych dzieci padnie ofiarą tych roślinożerców, oni zaś, dzięki dodatkowym kaloriom, przebiedują kolejną zimę. Siewek jednak jest ogromna chmara, dosyć ich jeszcze zostanie, by rosnąć dalej.

Tam, gdzie raptem na kilka lat pojawiło się więcej światła, szczęścia próbują także rośliny nasienne, w tym wiciokrzew pomorski. Za pomocą wąsów czepnych wspina się po pniach, obwijając się wokół nich zawsze w prawą stronę (czyli zgodnie z ruchem wskazówek zegara). Tym sposobem może dotrzymać kroku rosnącym podrostkom i wystawiać kwiaty do słońca. Jednakże w miarę upływu lat jego wijące się pędy wrastają w korę i stopniowo duszą drzewka. Tylko kwestią szczęścia jest to, czy okap starych drzew nie zamknie się po pewnym czasie i nie powróci ciemność. Bo wtedy obumrze też i wiciokrzew, pozostaną po nim jedynie blizny. Jeśli jednak pełne oświetlenie utrzyma się dłużej, być może dlatego że drzewo rodzicielskie było wyjątkowo duże i przez to otworzył się odpowiednio duży prześwit, zaatakowane młode drzewo może ulec dusicielowi. I tylko my, ludzie, będziemy mieli uciechę, bo jego drewno da się przerobić na osobliwie powykręcane laski.

Kto jednak przezwycięży wszystkie przeszkody i smukłym pniem wystrzeli w górę, ten najpóźniej po dwudziestu latach zostanie wystawiony na kolejną próbę cierpliwości. Tyle trwa ponowne zarośnięcie prześwitu po martwym drzewie rodzicielskim przez gałęzie sąsiednich drzew. One również wykorzystują szansę na zyskanie na stare lata nieco dodatkowego miejsca na fotosyntezę i rozbudowę koron. Jeśli w górnym piętrze lasu wszystko już zarosło, to na dole znowu zrobi się ciemno. Młode buki, sosny czy świerki przebyły dopiero połowę drogi i muszą na nowo czekać, aż któryś z wielkich sąsiadów ciśnie ręcznik na ring. Może to trwać wiele dziesiątków lat, jednak na tym etapie kości zostały rzucone. Ci, którym udało się przedostać na pośrednie piętro, nie muszą się już obawiać konkurencji, bo stali się następcami tronu, którzy przy następnej okazji wreszcie będą mogli dorosnąć.

LEŚNY *SAVOIR-VIVRE*

W lesie istnieją niepisane zasady *savoir-vivre*'u. Określają, jak ma wyglądać porządny mieszkaniec lasu pierwotnego, co powinien robić lub na co może sobie pozwolić. Wdrożone do karności dorosłe drzewo liściaste wygląda, jak następuje: ma pień prosty jak strzała z równomiernie przebiegającymi w jego wnętrzu włóknami drzewnymi. Korzenie symetrycznie rozpościerają się we wszystkie strony i pod drzewem dążą w głąb. Boczne gałęzie przy pniu były bardzo cienkie w młodości, teraz jednak dawno już obumarły, a miejsce po nich zostało zasklepione świeżą korą i nowym drewnem, tak że światu prezentuje się długa, gładka kolumna. Dopiero na górnym jej końcu tworzy się regularna korona z mocnych konarów, które niczym wyciągnięte ku niebu ramiona wskazują ukośnie w górę. Takie drzewo idealne może dożyć bardzo późnej starości. U drzew iglastych obowiązują podobne zasady, tyle że konary korony mogą być poziome lub lekko wygięte ku dołowi. Ale po co to wszystko? Czyżby drzewa były ukrytymi estetami? Tego, niestety, nie jestem wam w stanie powiedzieć, lecz za idealnym wyglądem przemawia jeden rozsądny powód: stabilność. Wielkie korony wyrośniętych drzew są wydane na pastwę wichur, gwałtownych ulew i ciężkich śniegowych czap. Siły te trzeba zamortyzować i poprzez pień przenieść na korzenie, które mają wytrzymać większość katastrof i zapobiegają przewróceniu się drzewa. Nie na darmo z całej siły wczepiają się w glebę i kamienie. Przeniesione uderzenia orkanu potrafią szarpać podstawą drzewa z siłą odpowiadającą nawet dwustu tonom[9]. Jeśli drzewo ma jakiś słaby punkt, to dochodzi do pęknięć, a w najgorszym wypadku do złamania się pnia, a co za tym idzie – całej korony. Harmonijnie uformowane drzewa równomiernie amortyzują nacierające siły, odprowadzając je i rozprowadzając po całym organizmie.

Kto nie stosuje się do zasad *savoir-vivre*'u, tego czekają kłopoty. Przykładowo, jeżeli pień będzie wygięty, trudności pojawią się nawet w okresie spokoju. Olbrzymi ciężar korony nie rozłoży się równo na cały przekrój pnia, lecz będzie z jednej strony naciskał na drewno. Od tej strony drzewo będzie musiało się wzmocnić, by się nie złamać, co można poznać po wyjątkowo ciemnych słojach rocznych (tu gromadzi się mniej powietrza, a więcej materii). Do jeszcze bardziej niekorzystnej sytuacji dochodzi wówczas, gdy wytworzą się dwa pędy przewodniki. Takie drzewa nazywa się dwójkami. W ich wypadku na pewnej wysokości pień się rozdwaja i dalej rośnie w podwójnym składzie. Przy gwałtownym wietrze obie części, z których każda ma już swoją koronę, chwieją się w różnym stopniu na wszystkie strony, obciążając przy tym bardzo mocno miejsce rozwidlenia. Jeżeli ten obszar krytyczny jest uformowany jak kamerton czy też w kształcie litery „U", to przeważnie nic się nie dzieje. Biada jednak dwójkom, które przypominają literę „V", czyli rozchodzą się pod bardzo ostrym kątem. W najniższym punkcie, skąd wyrastają obie części pnia, stale dochodzi do pęknięć. To dla drzewa bardzo bolesne, tworzy więc tam grube narośle z drewna, by zapobiec dalszym naderwaniom. Przeważnie jednak na próżno, a w tym miejscu stale sączy się ciecz, zabarwiona przez bakterie na czarno. Gromadzi się tam też woda, która zamarzając, poszerza szczelinę. Często w takich miejscach pojawia się zgnilizna. Z tego powodu wiele dwójek pewnego dnia rozłamuje się, a na placu boju pozostaje stabilniejsza połowa. Takie połowiczne drzewo może przetrwać jeszcze parę dekad, lecz niewiele dłużej. Nie udaje mu się już zaleczyć ogromnej powierzchni otwartej rany i dlatego grzyby powoli wyjadają jego wnętrze.

Niektóre z drzew ewidentnie wybrały sobie banana na model pnia. Dołem rosną straszliwie krzywo i wyglądają tak, jakby dopiero później zdecydowały się rosnąć w górę. Gwiżdżą na dobre maniery i najwyraźniej nie są w tym osamotnione – często w taki sposób zachowują się całe połacie lasu. Czy tam nie obowiązują prawa natury?

Wręcz przeciwnie, to właśnie otaczająca natura zmusza drzewa do takich form wzrostu. Tak jest na przykład w wysokich rejonach gór, tuż pod górną granicą lasu. Zimą śnieg często zalega w warstwach metrowej grubości i nierzadko się ześlizguje. Nie muszą to od razu być lawiny, bo i w okresie spokoju śnieg bardzo powoli zsuwa się w doliny, ruchem niezauważalnym dla naszego oka. Przygina przy tym drzewa, przynajmniej te młode. Dla najmniejszych nie jest to tragedia, bo po odwilży znowu się podniosą, nie odniósłszy ran. Jednak u podrostków, które właśnie wystrzeliły na kilka metrów w górę, pień ulega uszkodzeniu. W najgorszym wypadku się łamie, w innym – pozostaje trwale wygięty. Z tego właśnie powodu drzewa próbują znowu pionowo rosnąć ku górze. Ale ponieważ drzewo może rosnąć tylko na wierzchołku, dolny koniec pozostanie wykrzywiony. Następnej zimy drzewa znów zostaną nieco przygięte, lecz kolejny pęd roczny również odbije pionowo w górę.

Jeśli ta zabawa trwa wiele lat, stopniowo formuje się drzewo w kształcie szabli. Dopiero z upływem lat gruby pień staje się tak stabilny, że zwykły śnieg nie może już wyrządzić mu szkody. Dolna „szabla" zachowuje swój kształt, górna zaś część pnia, niczym już nie niepokojona, jest strzelista jak u normalnych drzew.

Coś podobnego może się przytrafić drzewom również i bez śniegu, tyle że na zboczach. Czasem ziemia obsuwa się na nich przez wiele lat w kierunku doliny w niebywale wolnym tempie. Nieraz pokonuje ledwie parę centymetrów. Razem z nią powoli przesuwają się i przechylają drzewa, jednocześnie nadal rosnąc w górę.

Zupełne skrajności można w tej mierze zaobserwować na Alasce czy Syberii, gdzie wskutek zmiany klimatu topnieją wieczne zmarzliny. Drzewa tracą oparcie i równowagę w grząskim podłożu. A ponieważ każdy okaz przechyla się w inną stronę, las wygląda jak grupa pijanych, toczących się przez okolicę. Logiczne więc, że uczeni nazywają takie drzewa „pijanymi" – *drunken trees*.

Na skraju lasu reguły dotyczące strzelistości pni nie są już takie sztywne. Dociera tu boczne światło, z łąki lub znad jeziora, na którym przecież żadne drzewa nie rosną. Mniejsze okazy mogą lawirować pod większymi drzewami, rosnąc w kierunku otwartej przestrzeni. Dotyczy to zwłaszcza drzew liściastych, które dzięki wyjątkowo wykrzywionemu pniu mogą przesunąć swoją koronę do dziesięciu metrów, niemal poziomo wyginając pęd szczytowy. Naturalnie, drzewo staje się wtedy podatne na złamania, na przykład gdy spadnie dużo śniegu i daje o sobie znać zasada dźwigni. Jednak nawet krótsze życie z wystarczającą do prokreacji ilością światła jest lepsze niż żadne. Większość drzew liściastych wykorzystuje tę szansę, ale większość iglastych trwa w uporze. Rośnie się prosto, i koniec! Na przekór sile ciążenia, czyli prościutko w górę, jak po sznurku, by pień był pięknie ukształtowany i zachował stabilność. Jedynie boczne gałęzie u drzew na skraju lasu mogą być wyraźnie grubsze i dłuższe od strony dochodzącego światła, ale to koniec ustępstw. Tylko sosna zachowuje się przemądrzale i chciwie przesuwa koronę. Nic więc dziwnego, że wśród drzew iglastych jest gatunkiem z największym odsetkiem śniegołomów, czyli obłamań wierzchołków bądź gałęzi wskutek obciążenia mokrym śniegiem.

LEŚNA SZKOŁA

Drzewa gorzej znoszą pragnienie niż głód, bo z nim mogą się w każdej chwili uporać. Niczym piekarz, któremu nigdy nie zabraknie chleba, są w stanie dzięki fotosyntezie natychmiast przerwać dokuczliwe burczenie w brzuchu. Jednak tak jak nawet najlepszy piekarz nic nie upiecze bez wody, tak samo dla drzew brak wilgoci oznacza koniec produkcji pożywienia. Dorosły buk potrafi przepompować dziennie przez gałęzie i liście ponad pięćset litrów wody i jak długo będzie mógł ją w dostatecznej ilości ciągnąć z podłoża, tak długo będzie to czynił[10]. Zapas wody w glebie szybko by się jednak wyczerpał, gdyby latem każdego dnia tak się działo. W ciepłej porze roku deszczu jest o wiele za mało, by odpowiednio nawilżyć wyschniętą ziemię. Dlatego zapasy robi się zimą – wtedy pada aż nadto, za to zużycie wody spada do zera, ponieważ prawie wszystkie rośliny robią sobie przerwę. Biorąc pod uwagę zgromadzone pod ziemią wiosenne opady, zebranej wilgoci starcza zwykle aż do lata. Jednak później często zaczyna się problem. Wystarczą dwa tygodnie upałów bez kropli deszczu i już większość lasów popada w tarapaty. Dotyczy to przede wszystkim tych drzew, które rosną na wyjątkowo dobrze nawodnionych glebach. Nie znają umiaru w zużyciu wody, postępują z nią rozrzutnie, a przeważnie są to najpotężniejsze, największe okazy – i w pewnym momencie muszą za to zapłacić. W moim rewirze są to przeważnie świerki, które wtedy pękają. Zresztą nie w każdym miejscu, lecz tylko wzdłuż pnia. Jeżeli gleba jest wyschnięta, a igły w koronie, nie bacząc na nic, żądają więcej wody, to w którymś momencie napięcie w wysuszonym drewnie staje się po prostu zbyt duże. Słychać szelesty i trzaski, po czym na korze pojawia się metrowe pęknięcie. Sięga daleko w głąb tkanki i poważnie kaleczy drzewo, gdyż taką szczeliną natychmiast przenikają do wnętrza zarodniki grzybów i rozpoczynają swe niszczące działanie. W następnych latach świerk próbuje wprawdzie zaleczyć ranę, jednak ta stale się otwiera. Już z daleka widać czarną, pokrytą żywicą bruzdę, która świadczy o toczącym się bolesnym procesie.

I tak oto trafiamy w sam środek leśnej szkoły życia. Niestety, obowiązują tu nadal dość brutalne zasady, bo natura jest surową nauczycielką. Kto nie uważa i się nie dostosuje, ten musi cierpieć. Pęknięcia w drewnie, w korze, w ekstremalnie wrażliwej miazdze (kambium) – trudno już drzewu spodziewać się większych nieszczęść. Musi reagować, i to nie tylko próbą zaleczenia ran. W przyszłości będzie lepiej gospodarować wodą, a nie pompować ją wiosną, ile gleba daje, nie bacząc na straty. Drzewa porządnie przyswajają sobie tę wiedzę i postępują odtąd według nowych, ekonomicznych reguł, nawet gdy ziemia jest dostatecznie wilgotna. W końcu nigdy nic nie wiadomo! Nie dziwi też, że problem dotyczy właśnie świerków na obfitujących w wodę glebach – są rozpieszczone. Już kilometr dalej, na kamienistym, suchym, południowym zboczu sytuacja wygląda całkiem inaczej. To tu najpierw bym oczekiwał szkód wskutek dotkliwej letniej suszy. A widać coś zupełnie odwrotnego. Rosnący tutaj żylaści asceci o wiele lepiej się trzymają niż ich koledzy rozpieszczeni nadmiarem wody. Dobrze im się wiedzie, mimo że przez cały rok mają do dyspozycji o wiele mniej wilgoci, bo gleba mniej jej magazynuje, a słońce pali o wiele mocniej. Świerki rosną znacznie wolniej, wyraźnie lepiej gospodarują niewielką ilością wody i są zdolne przetrwać nawet ekstremalne lato w całkiem niezłym stanie.

O wiele ważniejszym zagadnieniem jest stabilność. Drzewa nie lubią komplikowania sobie życia. Po co wytwarzać gruby, stabilny pień, jeśli można wygodnie oprzeć się o sąsiadów? Póki oni stoją, póty nic naprawdę złego stać się nie może. Jednakże w Europie Środkowej regularnie co kilka lat nadciąga ekipa robotników leśnych bądź maszyna do wycinki drzew, by wyciąć dziesięć procent zapasu drewna. W lasach naturalnych drzewa tracą wsparcie w sąsiadach wskutek śmierci ze starości potężnego drzewa matecznego. Powstają luki w okapie i niejeden wygodnicki buk czy świerk nagle się chwieje, zdany wyłącznie na własne nogi, czy raczej korzenie. Ponieważ drzewa nie są jednak znane z szybkości działania, musi minąć od trzech do dziesięciu lat, nim się wzmocnią. Proces nauki przyspieszają bolesne mikropęknięcia, które powstają wskutek silnego chybotania się na wietrze. Tam, gdzie boli, trzeba, gdy jesteśmy drzewem, wzmocnić strukturę kostną. Kosztuje to mnóstwo energii, której potem brakuje do wzrostu. Drobnym pocieszeniem jest dodatkowe światło, jakim dysponuje teraz korona wskutek zniknięcia sąsiada. Ale nawet tu musi minąć kilka lat, nim będzie je można w pełni wykorzystać. Liście przecież do tej pory były nastawione na półmrok, są więc bardzo delikatne i wyjątkowo czułe na światło. Jeśli teraz bezpośrednio pada na nie silne słońce, doznają częściowych poparzeń – i znowu boli! A ponieważ pączki na nadchodzący rok są zawiązywane już wiosną i latem poprzedniego sezonu, drzewa liściaste mogą się przestawić najwcześniej po dwóch okresach wegetacji. Drzewa iglaste potrzebują jeszcze więcej czasu, ponieważ igły pozostają na gałęziach do siedmiu lat. Dopiero po wymianie całej zieleni sytuacja się uspokaja. Grubość i stabilność pnia zależy także od tego, czy nic mu nie dolega. W lasach naturalnych ta historia może się powtarzać kilkakrotnie w ciągu życia drzewa. Gdy zasklepi się luka powstała wskutek upadku jednego drzewa, wszystkie pozostałe mają już tak mocno rozrośnięte korony, że prześwit w lesie się zamyka, a wtedy można ponownie oprzeć się o siebie. Tym sposobem więcej energii wydatkuje się na wzrost, nie zaś na pogrubianie pnia, ze znanymi już konsekwencjami, gdy parędziesiąt lat później kolejne drzewo wyzionie ducha.

Jeszcze raz powróćmy do tematu „szkoły". Jeśli drzewa potrafią się uczyć (a można to łatwo zaobserwować), to nasuwa się pytanie, gdzie też mogą gromadzić nabytą wiedzę i w razie potrzeby odwoływać się do niej. W końcu nie mają mózgu, który działałby jak baza danych i sterował wszystkimi procesami. Dotyczy to wszystkich roślin, dlatego też niektórzy badacze pozostają sceptyczni pod tym względem, a wielu leśników odesłałoby przypisywaną florze zdolność uczenia się do krainy bajek. Odesłałoby, gdyby znowu nie pojawiła się australijska uczona dr Monica Gagliano. Badała ona mimozy, tropikalne półkrzewy. Dobrze nadają się na obiekty badań, ponieważ w dostrzegalny sposób można je troszkę zdenerwować, a w laboratorium łatwiej prowadzić badania na nich niż na drzewach. Ich pierzaste listki przy dotknięciu składają się w obronnym geście. W doświadczeniu na liście roślin padały regularnie pojedyncze krople wody. Początkowo listki natychmiast się trwożnie składały, jednak po pewnym czasie krzewy się nauczyły, że wilgoć niczym nie grozi. Odtąd listki pozostawały rozchylone mimo uderzających kropel. Jeszcze większym zaskoczeniem dla Gagliano było to, że mimozy nawet po kilku tygodniach bez dalszych sprawdzianów pamiętały lekcję i potrafiły ją stosować w praktyce[11]. Szkoda, że nie można przetransportować do laboratorium buków czy dębów, by śledzić, jak się uczą. Przynajmniej w kwestii wody przeprowadzono jednak badania terenowe, które obok zmiany zachowania ujawniły jeszcze coś innego – jeśli pojawia się silne pragnienie, drzewa zaczynają krzyczeć. Ale nie macie szans ich usłyszeć, gdy wybierzecie się na spacer do lasu, bo wszystko rozgrywa się w sferze ultradźwięków. Badacze ze szwajcarskiego Federalnego Instytutu Badania Lasu, Śniegu i Krajobrazu (Eidgenössische Forschungsanstalt für Wald, Schnee und Landschaft) nagrywają te dźwięki i objaśniają je w następujący sposób: gdy strumień wody płynący z korzeni do liści zostaje wstrzymany, powstają drgania. To proces czysto mechaniczny i prawdopodobnie bez znaczenia[12]. A może jednak? W końcu wiadomo tylko, jak powstają dźwięki, ale jeśli weźmiemy pod lupę wytwarzanie dźwięków przez nas samych, to też nie dowiemy się niczego specjalnego – ot, strumień powietrza z tchawicy pobudza struny głosowe do drgań. Gdy myślę o wynikach badań dotyczących trzeszczących korzeni, to wydaje mi się całkiem prawdopodobne, że te drgania są czymś o wiele bardziej znaczącym, a mianowicie krzykiem spragnionych. Być może są one nawet naglącym ostrzeżeniem kolegów, że woda się kończy.

ZGODA BUDUJE

Drzewa są bardzo prospołeczne i pomagają sobie nawzajem. To jednak nie wystarcza, by żyć i prosperować w leśnym ekosystemie. Każdy gatunek drzewa stara się zdobyć dla siebie więcej miejsca, zoptymalizować swoje osiągnięcia i przez to wyprzeć inny. Poza walką o dostęp do światła decydujące znaczenie w tym wyścigu ma walka o wodę. Korzenie drzew są świetne w podboju wilgotnej ziemi. Wykształcają w tym celu delikatne włoski, by zwiększyć swą powierzchnię i wessać tyle wody, ile tylko się da. W normalnych warunkach to wystarcza, jednak zawsze im więcej, tym lepiej. Z tego też powodu drzewa już przed milionami lat zawarły przymierze z grzybami.

Grzyby to osobliwe istoty. Nie pasuje do nich nasz zgrubny podział świata ożywionego na zwierzęta i rośliny. Rośliny z definicji same produkują sobie pożywienie z materii nieożywionej, są zatem w pełni niezależne. Nic dziwnego, że na ubogiej, gołej ziemi najpierw musi pojawić się zielona wegetacja, zanim w ślad za nią pojawią się zwierzęta. One bowiem muszą generalnie żywić się innymi istotami żywymi, aby przeżyć. Nawiasem mówiąc, ani trawie, ani młodym drzewkom wcale się nie podoba, gdy pasą się na nich krowy czy sarny. I nieważne, czy wilk rozszarpuje dzika, czy też jeleń obgryza siewkę dębu, w obu wypadkach oznacza to ból i śmierć. Grzyby tkwią jakby pomiędzy tymi światami. Ich ściany komórkowe są zbudowane z chityny i pod tym względem grzyby bardziej przypominają owady, u roślin bowiem ta substancja nigdy nie występuje. Do tego nie potrafią przeprowadzać fotosyntezy, lecz są zdane na związki organiczne innych istot żywych, które mogą spożyć. W ciągu dziesięcioleci coraz bardziej rozrasta się grzybnia, podziemna plecionka wyglądająca jakby była zrobiona z waty. Pewnej opieńce ciemnej w Szwajcarii udało się dożyć około tysiąca lat i opanować obszar liczący mniej więcej pół kilometra kwadratowego[13]. Wiek innej opieńki w stanie Oregon w Stanach Zjednoczonych szacowany jest wręcz na dwa tysiące czterysta lat, osiągnęła ona przy tym rozmiar dziewięciu kilometrów kwadratowych i wagę sześciuset ton[14]. Grzyby są zatem największymi znanymi organizmami na Ziemi. Dopiero co wymienione giganty są zresztą wrogami drzew, gdyż zabijają je, prowadząc łupieżcze wyprawy po jadalną tkankę. Dlatego też przyjrzyjmy się lepiej przyjaznej parze grzyb – drzewo.

Dzięki grzybni odpowiedniego gatunku dla każdego drzewa, jak na przykład w zestawie mleczaj dębowy i dąb, ten ostatni może zwielokrotnić powierzchnię czynną swych korzeni, czyli pobierać znacznie więcej wody i składników pokarmowych. W roślinach kooperujących z grzybowymi partnerami można znaleźć dwa razy więcej niezbędnego do życia azotu i fosforu niż w okazach, które wyłącznie za pomocą własnych korzeni samodzielnie wchłaniają z gleby potrzebne im substancje. By nawiązać partnerstwo z jednym z ponad tysiąca gatunków, drzewo musi być bardzo otwarte. I to w dosłownym sensie, bo strzępki grzybów wrastają w delikatne korzenie włosowate. Nie zbadano, czy to boli, ale przypuszczam, że wywołuje raczej pozytywne uczucia u drzew, skoro jest pożądanym działaniem. Zresztą niezależnie od odpowiedzi obaj partnerzy od tego momentu współpracują. Grzyb nie tylko wnika w korzenie i otula je, ale jego grzybnia zaczyna wędrować dookoła po leśnej glebie. Wykracza przy tym poza normalny zasięg korzeni i dociera do innych drzew. Tu łączy się z ich grzybowymi partnerami i korzeniami. Powstaje sieć, przez którą można teraz żwawo wymieniać składniki pokarmowe (patrz rozdział *Urząd opieki społecznej*), a nawet informacje, na przykład o nadciągających atakach owadów. Grzyby stanowią zatem dla lasu coś w rodzaju internetu. Lecz tego rodzaju okablowanie ma swoją cenę. Jak wiemy, grzyby są zdane na składniki pokarmowe innych gatunków, ponieważ pod wieloma względami przypominają raczej zwierzęta. Bez dostaw pożywienia po prostu zginęłyby z głodu. Żądają zatem zapłaty w postaci cukru i innych węglowodanów, których ma dostarczać drzewo partnerskie. Grzyby nie są przy tym szczególnie powściągliwe w swych roszczeniach. Za swe usługi domagają się aż do jednej trzeciej całej produkcji![15] Logiczne, że w sytuacji takiej zależności nie można już niczego pozostawić przypadkowi. I właśnie z tego powodu delikatne pajęczynki zaczynają manipulować wierzchołkami korzeni, które spowijają. Najpierw przysłuchują się, co drzewo ma do powiedzenia poprzez swe podziemne wypustki. Zależnie od tego, czy jest to dla nich korzystne, grzyby podejmują produkcję fitohormonów, które regulują wzrost komórek w myśl grzybowych planów[16]. Za szczodrą zapłatę w cukrach dorzucają gratis jeszcze parę usług, na przykład filtrację metali ciężkich. Te na pewno nie służą korzeniom, grzybom za to specjalnie nie przeszkadzają. Wyodrębnione szkodliwe substancje pojawiają się potem każdej jesieni w pięknych owocnikach, które jako borowiki czy podgrzybki brunatne zabieramy ze sobą do domu. Nic dziwnego, że na przykład radioaktywny cez, który zalega w glebie jeszcze od czasów katastrofy reaktora w Czarnobylu w 1986 roku, najłatwiej znaleźć w grzybach.

W skład oferty wchodzą również usługi zdrowotne. Delikatne pajęczyny odpierają ataki wszelkich intruzów, czy będą to bakterie, czy niszczycielscy koledzy grzyby. Wraz ze swymi drzewami grzyby mogą dożyć wieluset lat, jeśli tylko będzie im się dobrze działo. Jeżeli jednak zmienią się warunki środowiskowe, na przykład za sprawą zanieczyszczenia powietrza, to żegnają się z życiem. Ich partnerzy nie pozostają wszakże długo w żałobie, lecz po prostu przestawiają się na inny gatunek, który mości się u ich stóp. Każde drzewo może wybierać między kilkoma grzybami i dopiero gdy ostatni z nich rozstanie się z tym światem, sytuacja faktycznie ulega pogorszeniu.

Grzyby są w tej mierze dużo wrażliwsze. Wiele gatunków wyszukuje sobie odpowiednie drzewo, a gdy raz je dla siebie zarezerwuje, wiąże się z nim na dobre i na złe. Takie gatunki, które na przykład lubią tylko brzozy czy modrzewie, nazywa się specyficznymi dla danego żywiciela. Inne, takie jak kurka, radzą sobie znakomicie z rozmaitymi drzewami – może być dąb, buk czy świerk, liczy się to, że pod ziemią pojawiło się wolne miejsce. A konkurencja jest duża – w samych tylko dąbrowach występuje ponad setka różnych gatunków grzybów, które po części występują przy korzeniach tych samych drzew. Dla dębów z kolei taka sytuacja jest nader praktyczna, bo gdy grzyb umiera wskutek zmiany warunków środowiskowych, kolejny kandydat już puka do drzwi. Jednak badacze odkryli, że grzyby mają pewne zabezpieczenia. Na przykład grzybnie nie są powiązane wyłącznie z drzewami jednego gatunku, lecz z okazami z różnych gatunków. Zaszczepiony brzozie przez uczonych węgiel radioaktywny przewędrował przez glebę i grzybową sieć do sąsiedniej daglezji. Wygląda na to, że mimo iż wiele gatunków drzew toczy ze sobą nad ziemią walkę na noże, a nawet w strefie korzeni usiłuje wypchnąć konkurenta, to jednak grzyby bardzo dbają o sprawiedliwy podział korzyści. Nie wyjaśniono jeszcze, czy rzeczywiście chcą wspierać obce drzewa-gospodarzy, czy też tylko grzyby tego samego gatunku, które potrzebują pomocy (po czym z kolei same ją świadczą swemu drzewu). Przypuszczam, że grzyby „myślą" troszeczkę bardziej przyszłościowo niż ich duzi partnerzy. Wśród tych ostatnich każdy gatunek walczy z każdym. Jednak wyobraźmy sobie, że nasze rodzime buki odnoszą ostateczne zwycięstwo w większości lasów – czy naprawdę byłoby to pożyteczne? Co by się stało, gdyby na przykład jakiś nowy czynnik chorobotwórczy poraził większość z nich i spowodował ich nagłą śmierć? Czy wtedy nie byłoby lepiej, gdyby w lesie występowały jeszcze inne gatunki? Dęby, klony, jesiony czy jodły rosłyby wtedy dalej, zapewniając konieczny cień, w którym nowe pokolenie młodych buków mogłoby wschodzić i dorastać. Różnorodność zabezpiecza lasy pierwotne, a ponieważ dla grzybów niezmienne warunki również mają ogromne znaczenie, niwelują one pod ziemią skutki nazbyt skutecznych podbojów jednego gatunku, chroniąc inne przed całkowitą zagładą i wspierając w miarę sił.

Jeżeli jednak mimo wszelkich starań sytuacja staje się zbyt trudna dla grzyba i drzewa, to grzyb może sięgnąć po radykalne środki, jak to pokazuje przykład sosny wejmutki i jej partnera *Laccaria bicolor*, czyli lakówki dwubarwnej. Gdy braknie azotu, lakówka wydziela do gleby śmiertelną truciznę, przez co maleńkie zwierzęta w rodzaju skoczogonków umierają i uwalniają azot zawarty w ich ciałach. Stają się w ten sposób, czy tego chcą, czy nie, nawozem dla drzew i grzyba[17].

Przedstawiłem wam wprawdzie najważniejszych pomocników drzew, ale przecież istnieje jeszcze cała rzesza innych. Można by tu wymienić dzięcioły. Co prawda, nie nazwałbym ich prawdziwymi pomocnikami, ale jednak w jakiejś mierze przydają się drzewom. Gdy na przykład korniki atakują świerki, sytuacja robi się krytyczna. Małe owady mnożą się tak szybko, że są w stanie błyskawicznie zabić drzewo, jako że wyjadają niezbędną mu do życia warstwę pod korą – miazgę. Gdy tylko dzięcioł duży zorientuje się, co się dzieje, w mig pojawia się na miejscu. Przepatruje pień od góry do dołu niczym bąkojad na grzbiecie nosorożca, szukając żerujących tłustych, białych larw. A potem je wydziobuje (nie wykazując się szczególną delikatnością wobec drzewa), że tylko strzępy kory lecą na wszystkie strony. Czasami udaje mu się zapobiec dalszym stratom wśród świerków. Bo nawet jeśli to konkretne drzewo nie ujdzie z życiem z tej operacji, to jednak inne okazy tego gatunku będą bezpieczne, gdyż nie wykluje się już żaden zdolny do lotu kornik. Dzięcioła w ogóle zresztą nie obchodzi dobrostan drzewa, co szczególnie widać na przykładzie dzięciolich dziupli. Często zakłada je w zdrowych drzewach, które w tym celu musi solidnie połupać i ciężko poranić. Dzięcioł uwalnia wprawdzie wiele drzew od szkodników, na przykład dęby od larw chrząszczy z rodziny bogatkowatych, lecz to jednak raczej działanie uboczne. Bogatkowate w latach suchych mogą stać się niebezpieczne dla spragnionych drzew, bo te w praktyce nie są w stanie się bronić przed agresorami. W sukurs może im przyjść szkarłatnej barwy ogniczek większy, który jako forma dorosła jest całkowicie nieszkodliwy, gdyż odżywia się wydzielinami mszyc i sokami roślinnymi. Jego potomstwo jednak potrzebuje mięsa i zapewnia je sobie w postaci larw chrząszczy żyjących pod korą drzew liściastych. Niejeden dąb zawdzięcza przetrwanie ogniczkowi, który zresztą czasem sam popada w opały – gdy wszystkie obce chrząszczęta zostaną już pożarte, larwy ogniczka rzucają się na przedstawicieli swego własnego gatunku.

ZAGADKOWY TRANSPORT WODY

W jaki sposób woda dostaje się z gleby do liści? Dla mnie to pytanie jest symbolem obecnego stanu wiedzy na temat lasu. A to dlatego, że w wypadku transportu wody chodzi o stosunkowo proste do zbadania zjawisko, prostsze w każdym razie niż badania nad odczuwaniem bólu czy komunikacją. I ponieważ wydaje się takie banalne, nauka uniwersytecka od dziesiątków lat proponuje naprawdę prościutkie wyjaśnienia. Zawsze mnie bawią dyskusje ze studentami na ten temat. Najczęściej odpowiedzi brzmią: działają siły kapilarne i transpiracja. Te pierwsze możecie zaobserwować co rano przy śniadaniu. Siła kapilarna zmusza kawę przy brzegu filiżanki do wędrowania kilka milimetrów w górę – bez tego zjawiska poziom cieczy musiałby być idealnie równy. Im węższy pojemnik, tym wyżej ciecz może się w nim wspiąć wbrew sile ciążenia. A naczynia przewodzące wodę w drzewach liściastych są faktycznie bardzo wąskie – mierzą ledwie pół milimetra. Drzewa iglaste jeszcze bardziej redukują te wymiary i dochodzą do dwóch setnych milimetra średnicy. Jednakże to wszystko wcale nie wystarcza do wyjaśnienia, w jaki sposób woda dostaje się do korony ponadstumetrowego drzewa, bo nawet w najcieńszej rureczce siła kapilarna działa co najwyżej do wysokości jednego metra[18]. Ale mamy przecież jeszcze jedną kandydatkę – transpirację. Latem liście i igły, oddychając, wyparowują solidną ilość wody – w wypadku dorosłego buka mogą to być setki litrów dziennie. Powstaje siła ssąca, dzięki której kolejna dostawa jest wciągana przewodami na górę. Działa ona jednak tylko wtedy, gdy nie przerwie się słupa wody. Molekuły przylegają do siebie dzięki kohezji (sile przyciągania cząsteczek) i tak uszeregowane podciągają się kawałeczek w górę, gdy tylko wskutek parowania zrobi się nieco miejsca w liściu. A ponieważ to jeszcze nie wystarcza, do akcji wkracza osmoza. Gdy w komórce stężenie cukru jest wyższe niż w komórce sąsiedniej, wówczas woda przepływa przez ściany komórkowe w kierunku słodszego roztworu dopóty, dopóki oba nie zawierają tej samej procentowej ilości cukru. A gdy proces ten zachodzi między każdą kolejną parą komórek aż do korony drzewa, wtedy woda w końcu dotrze na samą górę. Hmm.

Najwyższe ciśnienie odnotowuje się w drzewach tuż przed wypuszczeniem liści na wiosnę. W tym czasie woda z takim impetem prze przez pień, że można to usłyszeć przez stetoskop. Na północnym wschodzie Stanów Zjednoczonych wykorzystuje się ten fakt przy zbiorze słodkiego soku klonu cukrowego, który często nacina się już w porze topnienia śniegu. Tylko wtedy można zbierać pożądany płyn. Drzewa liściaste nie mają jeszcze zresztą wówczas liści, więc nie mogą nic wyparowywać. Odpada zatem transpiracja jako siła napędzająca. Siły kapilarne również mogą działać tylko w ograniczonym stopniu, bo wspomniane działanie do metra wysokości można w praktyce pominąć. Jednak pień jest w tym okresie solidnie napompowany. Pozostawałaby osmoza, lecz i ona wydaje mi się nieprawdopodobna. Ostatecznie działa tylko w korzeniach i liściach, ale nie w pniu, który nie składa się z szeregu sąsiadujących komórek, lecz z długich, ciągłych przewodów. Co się więc dzieje? Nie wiadomo, jednakże najnowsze badania wykazały coś, co stawia pod znakiem zapytania działanie transpiracji i sił kohezji. A to dlatego, że uczeni z Uniwersytetu Berneńskiego, Federalnego Instytutu Badania Lasu, Śniegu i Krajobrazu oraz Politechniki Federalnej w Zurychu uważniej zaczęli się przysłuchiwać drzewom – i to w dosłownym sensie. Przede wszystkim w nocy rejestrowali cichy szum w drzewach. O tej porze większość wody znajduje się w pniu, ponieważ korona robi sobie przerwę w fotosyntezie i prawie nie paruje. Z tego powodu drzewa się solidnie nadymają, co skutkuje nawet zwiększeniem ich średnicy. W praktyce woda stoi, a nie płynie przez wewnętrzne kanały. Skąd zatem biorą się te szelesty? Badacze przypuszczają, że sprawcami są malutkie pęcherzyki CO_2, tworzące się w małych, wypełnionych wodą rureczkach[19]. Pęcherzyki w kanałach przewodzących? To oznacza, że ciągły tor wodny zostaje po tysiąckroć przerwany, a tym samym transpiracja, kohezja i siły kapilarne nie mogą w zasadzie brać udziału w transporcie wody. Nadal nie znamy odpowiedzi na tak wiele pytań. Być może jesteśmy ubożsi o hipotetyczne wyjaśnienie albo też bogatsi o kolejną tajemnicę. A czy to nie jest co najmniej równie piękne?

DRZEWA PRZYZNAJĄ SIĘ DO WIEKU

Zanim zacznę mówić o wieku, chciałbym zrobić małą dygresję na temat skóry. Drzewa i skóra? Podejdźmy do problemu najpierw od strony człowieka. Skóra jest barierą, która chroni nasze wnętrze przed światem zewnętrznym, zatrzymuje płyny, zabezpiecza wnętrzności przed wypadnięciem, a przy okazji jeszcze oddaje i przyjmuje gazy i wilgoć. Ponadto blokuje zarazki, aż nazbyt chętne do rozpanoszenia się w naszym krwiobiegu. Jest też wrażliwa na dotknięcia, które mogą być przyjemne i budzić ochotę na więcej lub wywoływać ból i reakcję obronną. Pech chciał, że skóra nie zachowuje się cały czas tak samo, lecz w miarę upływu lat ten skomplikowany twór powoli coraz bardziej wiotczeje. Pojawiają się fałdy i zmarszczki, tak że nasi bliźni są w stanie z łatwością odczytać nasz wiek z dokładnością do kilku lat.

Niezbędny proces regeneracji też nie napawa zbytnią radością, jeśli mu się bliżej przyjrzeć – każdy z nas traci dziennie około półtora grama złuszczającego się naskórka, co w ciągu roku daje ponad pół kilograma. Większe wrażenie robią liczby – dziennie osypuje się z nas dziesięć miliardów cząstek naskórka[20]. Nie brzmi to zbyt apetycznie, jest jednak konieczne, by stale utrzymywać w dobrej kondycji nasz organ powierzchniowy. Ponadto w dzieciństwie potrzebujemy tego zjawiska, by rosnąć, inaczej nasz przyrodzony płaszcz w którymś momencie by pękł.

A jak to wygląda u drzew? Całkiem podobnie. Główna różnica polega na żonglerce słownej – skóra buków, dębów, świerków i reszty towarzystwa nazywa się korą. Spełnia jednak dokładnie tę samą funkcję i chroni wrażliwe organy wewnętrzne przed agresywnym światem zewnętrznym. Bez kory drzewo by uschło, a oprócz utraty płynów chodzi tu przede wszystkim o grzyby, które w zdrowym, wilgotnym drewnie nie mają żadnych szans, a tak mogłyby bez trudu dobrać się do niego i je zniszczyć. Owady również potrzebują obniżonej wilgotności, a przy nietkniętej korze nie mają co marzyć o sukcesie. Drzewo kryje w swym wnętrzu niemal tyle samo wilgoci, co my, ludzie, i przez to jest nieinteresujące dla pasożytów, gdyż po prostu się w nim duszą. Dziura w korze jest zatem dla drzewa co najmniej równie nieprzyjemna, jak rana w skórze dla nas. I dlatego stosuje ono podobne mechanizmy, by zapobiec takim wypadkom. Drzewo w pełni sił przybiera rocznie od półtora do trzech centymetrów w obwodzie. Kora w zasadzie powinna pęknąć. W zasadzie. Tyle że olbrzymy, by tego uniknąć, również stale regenerują swą skórę, tracąc ogromne ilości złuszczających się cząstek. Są one odpowiednio większe, na miarę ich postury, i mierzą do dwudziestu centymetrów. Przyjrzyjcie się kiedyś w zacinającym deszczu ziemi pod drzewami. Leżą tam owe resztki, które łatwo rozpoznać, zwłaszcza w wypadku sosen z ich czerwonawą korą. Nie każde drzewo złuszcza się jednak tak samo. Istnieją gatunki, które się stale osypują (ich ludzkim odpowiednikom przy takiej skali problemu polecilibyśmy szampon przeciwłupieżowy), są też inne, które zachowują się w tej mierze bardzo powściągliwie. Na przykładzie korowiny możecie zaobserwować, kto jak postępuje. Korowina to zewnętrzna warstwa kory, która już obumarła i wytworzyła od zewnątrz niewrażliwy pancerz. Jest ona dobrą cechą rozpoznawczą, przydatną przy odróżnianiu gatunków drzew. Wprawdzie dotyczy to tylko starszych okazów, gdyż chodzi tu o wykształcenie się bruzd, można by też powiedzieć – zmarszczek lub fałd. W wypadku młodych drzew dowolnego gatunku korowina jest gładka jak pupka niemowlęcia. Gdy drzewa nieco posuną się w latach, stopniowo pojawiają się na nich (poczynając od dołu) fałdy, które w miarę upływu lat stale się pogłębiają. Szybkość, z jaką proces ten przebiega, zależy od gatunku. U sosen, dębów, brzóz lub daglezji zaczyna się on wcześnie, natomiast buki i jodły pospolite bardzo długo pozostają gładkie. Powodem jest faktycznie prędkość osypywania się martwych cząstek. U buków, których srebrnoszara kora pozostaje gładka, póki nie ukończą dwustu lat, stopień regeneracji jest bardzo wysoki. Ich skóra pozostaje dzięki temu cienka, pasuje dokładnie do wieku lub średnicy drzew w danym momencie i nie musi rozciągać się za pomocą pęknięć. Podobnie postępuje jodła pospolita. Świerki i spółka guzdrają się z odnawianiem swej powierzchni. Jakoś wyraźnie nie potrafią rozstać się z tym balastem, ale może chodzi tu także o tę dodatkową pewność, jaką daje grubszy pancerz. Jednak niezależnie od faktycznych pobudek złuszczają się one tak powoli, że wytwarza się o wiele grubsza korowina, której górne warstwy po części liczą sobie dziesiątki lat. Pochodzą zatem z czasów, gdy drzewa były jeszcze młode i smukłe. W starszym wieku, przy rosnącej średnicy pnia, te zewnętrzne warstwy pękają na całej głębokości, odsłaniając warstwę późniejszej daty, pasującą – podobnie jak u buków – do obecnego obwodu drzewa. A więc im głębsze fałdy, tym bardziej guzdralski gatunek. Zjawisko to wyraźnie nasila się z wiekiem.

Buki również dzielą ten los, gdy przekroczą życiowy półmetek, bo wówczas na ich korze pojawiają się idące od dołu fałdy. Wygląda to tak, jakby buki szeroko reklamowały ten fakt, bo do zasiedlania szczelin od razu zabierają się mchy. Deszczówka dłużej tam zalega i nasącza mchowe poduchy. Dzięki temu już z daleka możecie oszacować wiek lasów bukowych. Im wyżej po pniu wspina się zielona okrywa, tym starsze są drzewa. Drzewa są indywidualnościami, a tworzenie fałd jest kwestią uzdolnień. Niektóre okazy już w młodych latach są bardziej pomarszczone niż ich rówieśnicy tego samego gatunku. Mam w rewirze kilka buków, które w wieku stu lat są od góry do dołu pokryte chropowatą korowiną. Normalnie pojawia się ona dopiero sto pięćdziesiąt lat później. Nie zbadano jeszcze, czy jest to sprawa genetycznego uwarunkowania, czy też może pewną rolę odgrywa rozbuchany styl życia. Co najmniej kilka czynników przypomina tu znowu nas, ludzi. Sosny w naszym ogrodzie są wyjątkowo głęboko spękane. Nie może to być wyłącznie kwestia wieku – mając mniej więcej sto lat, akurat wyrosły z lat młodzieńczych. Od 1934 roku rosną w wyjątkowo słonecznym miejscu, bo wtedy właśnie zbudowano naszą leśniczówkę. Wykarczowano przy tym część parceli i od tej pory pozostałe sosny mają więcej światła. Więcej światła, więcej słońca, więcej promieniowania ultrafioletowego. To ostatnie powoduje starzenie się skóry u ludzi i najwyraźniej również u drzew. Rzuca się przy tym w oczy, że korowina od strony wystawionej na słońce jest twardsza, a tym samym mniej elastyczna i raczej skłonna do pęknięć.

Przedstawione zmiany można też jednak tłumaczyć „chorobami skóry". Tak jak trądzik młodzieńczy jest często przyczyną powstawania blizn na całe życie, tak też porażenie drzewa przez miodownice wkłuwające się w korę może skutkować chropowatą powierzchnią. Nie powstają wówczas żadne pęknięcia, lecz tysiące małych kraterów i wyprysków, które już do końca życia nie znikną. U chorowitych okazów przekształcają się one we wrzodziejące, sączące się rany, a dobywający się z nich płyn jest kolonizowany przez bakterie i zmienia barwę na czarną. Skóra nie tylko u nas, jak widać, może być zwierciadłem duszy (bądź dobrostanu ciała).

Stare drzewa mogą spełniać jeszcze jedną, szczególną funkcję w leśnym ekosystemie. W Europie Środkowej nie ma już prastarych lasów, wiek najstarszych wielkopowierzchniowych drzewostanów wynosi od dwustu do trzystu lat. Póki te rezerwaty nie przekształcą się na powrót w puszcze, musimy dla zrozumienia roli naprawdę starych drzew przyjrzeć się bliżej zachodniemu wybrzeżu Kanady. Tam właśnie dr Zoë Lindo z Uniwersytetu McGill w Montrealu badała świerki sitkajskie liczące sobie co najmniej pięćset lat. Dopiero u tak sędziwych okazów uczona znalazła ogromne ilości mchów na gałęziach i w rozwidleniach konarów.

Na zielonych poduchach osiedliły się sinice, które wychwytywały azot z powietrza i tak go przekształcały, że mógł być przyswajany przez drzewa. Deszcz spłukiwał z gałęzi ten naturalny nawóz, oddając go do dyspozycji korzeniom. Stare drzewa nawożą w ten sposób las i ułatwiają swemu potomstwu start w dorosłe życie. Nie musi ono bowiem dźwigać na sobie mchu, który rośnie bardzo powoli i dopiero po upływie dziesiątków lat osiedli się na nim[21].

Oprócz wyglądu skóry i mchowych narośli są jeszcze inne zmiany fizyczne, które pokazują nam wiek drzew. Weźmy na przykład koronę – zachodzi tu nawet analogia do mnie samego. Na czubku głowy włosy mam przerzedzone, nie rosną już tak jak za moich młodych lat. Nie inaczej się dzieje w najwyższych gałęziach koron. Od pewnego określonego momentu, po stu do trzystu latach, zależnie od gatunku, wypuszczane co roku nowe pędy są coraz krótsze. Nagromadzenie takich krótkich przyrostów powoduje u drzew liściastych powstawanie powykrzywianych na kształt pazurów gałęzi, które przypominają dłonie nękane reumatyzmem. W wypadku drzew iglastych strzelisty pień kończy się stopniowo zanikającym pędem wierzchołkowym. Świerki pozostają już w tym stanie, natomiast jodły pospolite rozrastają się w górze w poprzek i wygląda to tak, jakby jakieś wielkie ptaszysko zbudowało tam sobie gniazdo. Logiczne więc, że w kręgach fachowych nazywa się takie zjawisko „bocianim gniazdem". U sosen proces ten zaczyna się wcześniej, wskutek czego w podeszłym wieku cała korona jest równomiernie szeroka i bez wyraźnego czubka. W każdym razie każde sędziwe drzewo stopniowo hamuje swój wzrost. Jego korzenie i system naczyniowy nie dałyby rady pompować wody i składników pokarmowych na większą wysokość, bo ten wysiłek zbyt dużo by kosztował. Zamiast tego drzewo zaczyna po prostu grubieć (kolejna analogia do wielu ludzi w starszym wieku...). Długo jednak nie może pozostać w tym stanie, gdyż w miarę upływu lat powoli ubywa mu sił. Nie może już sobie poradzić z aprowizacją najwyższych gałęzi, więc te umierają. I tak jak starzy ludzie stopniowo robią się coraz niżsi, tak samo dzieje się z drzewem. Najbliższa burza wymiecie martwe gałęzie z korony i po tych porządkach będzie ono wyglądało przez krótki czas nieco młodziej. Proces powtarza się co roku i korona niemal niepostrzeżenie się przy tym kurczy. Gdy postrada wszystkie górne gałęzie, pozostają jeszcze grubsze konary. I one umrą, jednak nie da się ich tak łatwo zrzucić. Drzewo nie może już ukryć nie tylko podeszłego wieku, ale i zniedołężnienia.

Najpóźniej w tym momencie do gry powraca kora. Sączące się ranki zmieniły się w bramy wejściowe dla grzybów. Te obwieszczają swe zwycięstwo imponującymi owocnikami, które – podobne do przepołowionego spodka – przyklejają się do pnia i z roku na rok robią się coraz większe. We wnętrzu drzewa przełamują wszystkie bariery i wnikają głęboko, aż do twardzieli. Tam w zależności od gatunku pożerają zmagazynowane cukry bądź – co o wiele gorsze – celulozę i ligninę. Tym samym niszczą i zmieniają w proch szkielet drzewa, który mimo to jeszcze przez dziesięciolecia dzielnie stawia opór temu procesowi. Po obu stronach coraz większej rany wytwarza nowe drewno w formie grubych, stabilizujących obrzmień. Na jakiś czas pomaga to wzmocnić rozpadające się ciało przed gwałtownymi zimowymi zawieruchami. Pewnego dnia jednak przychodzi pora – pień się łamie, a życie drzewa dobiega kresu. „Wreszcie" – niemal słychać głos czekającej młodzieży, która w nadchodzących latach szybko będzie pięła się w górę przy kruszącym się pniaku. Śmierć drzewa nie oznacza jednak końca służby lasowi. Butwiejące zwłoki odgrywają jeszcze przez setki lat ważną rolę w ekosystemie. Ale o tym później.

CZY DĄB NIE JEST ABY MIMOZĄ?

Gdy idę swoim rewirem, często widzę cierpiące dęby. A część z nich rzeczywiście bardzo cierpi. Nieomylnym znakiem są tak zwane wilki na pniu, czyli pęki gałązek wyrastające gdzie popadnie i prędko zamierające. Są widomym znakiem, że drzewo już od dawna toczy śmiertelną walkę i ogarnia je panika. Próby tworzenia liści tak nisko nie są rozsądne. A to dlatego, że dąb jest gatunkiem światłożądnym – musi mieć mnóstwo światła, żeby prowadzić fotosyntezę. W półcieniu dolnego piętra lasu jego panele słoneczne na nic się nie przydają, a zbędne wyposażenie szybko jest likwidowane. Zdrowe drzewo w ogóle nie próbuje wydatkować energii na tworzenie takich gałęzi, lecz zdecydowanie woli rozrastać się w koronie. Przynajmniej wtedy, kiedy ma spokój. Dęby jednak mają niełatwe życie w lasach środkowoeuropejskich, bo to ojczyzna buka. Ten ma wprawdzie niewiarygodnie towarzyskie usposobienie, ale tylko wobec swoich krewniaków. Drzewa obcych gatunków są nękane na wszystkie sposoby, żeby ustąpiły. Początek prześladowań wygląda całkiem niewinnie – oto sójka zagrzebuje bukowy orzeszek u stóp potężnego dębu. Ptak zakłada mnóstwo takich spiżarni, więc nikt bukwi nie niepokoi i może na wiosnę wykiełkować. Bardzo powoli rośnie sobie po cichutku przez wiele dziesiątków lat. Wprawdzie młodemu buczkowi brakuje matki, ale stary dąb może mu przynajmniej zapewnić nieco cienia i w ten sposób przyczynić się do niespiesznego odchowania zdrowego bukowego potomstwa. Jednak to, co nad ziemią wygląda idyllicznie, pod ziemią okazuje się początkiem walki na śmierć i życie. Korzenie buka wpychają się w każdą niewykorzystaną przez dąb szczelinę. Podminowują stary pień i zagarniają dla siebie wodę oraz składniki pokarmowe, które stare drzewo zasadniczo rezerwowało dla siebie. Powoduje to jego postępujące osłabienie. Po mniej więcej stu pięćdziesięciu latach młode drzewko na tyle się wyciągnęło, że powoli sięga korony dębu. Zaczyna w nią wrastać, a po dalszych paru dekadach przerastać ją wszerz i wzdłuż, ponieważ buk w przeciwieństwie do konkurencji może praktycznie przez całe życie rozbudowywać swą koronę i nadal rosnąć. Bukowe liście uzyskują teraz bezpośredni dostęp do światła słonecznego, a zatem drzewo dysponuje już dowolną ilością energii, by się rozrastać. Tworzy imponującą koronę, która w zależności od gatunku przechwytuje do dziewięćdziesięciu siedmiu procent światła słonecznego. Dąb znów trafia na środkowe piętro lasu, gdzie jego liście na próżno usiłują pochwycić nieco światła. Drastycznie spada produkcja cukrów, zużywane są rezerwy, drzewo zaczyna powoli umierać z głodu. Orientuje się, że nie zdoła wygrać w walce z silną konkurencją, że nigdy mu się już nie uda wytworzyć długich pędów szczytowych i raz jeszcze wystrzelić ponad buk. W tej opresji, być może w ogarniającej go już lawinowo panice, robi coś, co sprzeciwia się wszelkim regułom – bardzo nisko na pniu tworzy nowe gałęzie i liście. Są one wyjątkowo duże i miękkie, zdolne obejść się mniejszą ilością światła niż te rosnące w koronie. Niemniej trzy procent to wciąż za mało, bo dąb po prostu nie jest bukiem. Wilki zatem usychają, a wartościowa energia, jaka mu jeszcze pozostała, idzie na marne. Dąb może przetrwać kilka dekad w tym stadium głodowej męki, jednak w którymś momencie się podda. Gaśnie i opada z sił, czasem litościwie dobijają go chrząszcze, na przykład bogatki. Składają jaja w korze dębu, a wykluwające się z nich larwy szybko załatwiają sprawę, pożerając jego skórę i niosąc koniec bezbronnemu drzewu.

Czy więc dąb nie jest aby mimozą? Jak to możliwe, że taki słabeusz mógł stać się symbolem mocy i niezłomności? Jednakże podległość, jaką ten gatunek wykazuje w większości lasów wobec buka, jest odwrotnie proporcjonalna do wytrwałości, jaką przejawia tam, gdzie nie ma konkurencji, na przykład na otwartej przestrzeni, czyli w przekształconym przez człowieka krajobrazie. Podczas gdy buki poza przytulną atmosferą lasu z trudem dożywają dwustu lat, dąb bez wysiłku przekracza pięćsetkę przy starym chłopskim obejściu czy na pastwiskach. A jeśli przytrafi się głęboka rana pnia albo rozszczep od uderzenia pioruna? Dąb pozostaje niewzruszony wobec takich problemów, bo jego drewno jest przesycone substancjami hamującymi rozwój grzybów i mocno spowalniającymi procesy gnilne. Garbniki odstraszają też większość owadów, a zupełnie mimochodem i niezamierzenie owe środki obronne poprawiają smak wina (dojrzewającego w beczkach barrique[*]), gdy w którymś momencie drzewo zmieni się w dębową beczkę. Nawet mocno uszkodzone okazy z ułamanymi konarami są w stanie odbudować koronę i żyć jeszcze spokojnie przez całe stulecia. Dla większości buków to niewykonalne, a już na pewno nie poza lasami i nie bez ukochanych krewnych. Jeżeli burza je zmaltretuje, to pozostały im czas życia wynosi co najwyżej parę dziesiątków lat.

Również w moim rewirze dęby dowodzą, że są po prostu nie do zdarcia. Na wyjątkowo ciepłym południowym zboczu rośnie kilka drzew, które wczepiają się korzeniami w nagą skałę. Gdy letni skwar rozgrzewa głazy do niemożliwości, wyparowują ostatnie krople wody. Zimą drzewa przeszywa mróz do szpiku kości, bo brakuje grubej, ochronnej warstwy ziemi z potężną okrywą gnijących liści. Te zwiewa już najlżejszy wietrzyk, więc osiedliło się tam ledwie parę lichych porostów, które jednak nie stanowią żadnej osłony przy skrajnych temperaturach. Drzewa, czy raczej drzewka, po stu latach są zaledwie grubości ramienia i mają góra pięć metrów wzrostu. Ich krewniacy w przytulnym, leśnym klimacie przekroczyli już trzydzieści metrów i wykształcili potężne pnie, natomiast ci asceci trwają skromnie na swym posterunku i zadowalają się statusem krzaków. Ale wciąż żyją! Zaletą tego życia na skraju głodu jest to, że inne gatunki dawno już musiały się poddać. Egzystencja pełna wyrzeczeń, ale w zamian wolna od zamartwiania się

---

[*] Nazwa tradycyjnych beczek, w których dojrzewają dobre czerwone wina.

konkurencją ze strony innych gatunków drzew, też ma, jak widać, swoje zalety.

Gruba korowina dębu jest zresztą o wiele wytrzymalsza niż gładka, cienka skóra buka i chroni przed niejednym wrogiem zewnętrznym. Zrodziło się nawet powiedzenie: „Nie raz siekierą, gdy dąb chcesz zwalić"*.

---

* Cytat za: Kazimierz Władysław Wójcicki, *Zarysy domowe*, t. 2, Warszawa 1842, s. 242.

SPECJALIŚCI

Drzewa potrafią rosnąć w wielu ekstremalnych miejscach. Potrafią? Muszą! Bo gdy nasionko opadnie z drzewa, wówczas jego miejsce pobytu zmienić może jeszcze wiatr lub transport zwierzęcy. Lecz gdy wiosną wykiełkuje, nie ma odwrotu. Od tej chwili siewka na całe życie jest związana z danym skrawkiem ziemi i musi godzić się z tym, co los jej przyniesie. A dla większości drzewnych dzieci nie ma on w zanadrzu niczego dobrego. Gdyż, niestety, przypadkowe trafienia często okazują się kiepskie. Albo jest za ciemno, jak na przykład wtedy, kiedy wiśnia, szalenie światłolubny gatunek drzewa, kiełkuje pod wielkimi bukami. Albo jest za jasno – dotyczy to bukowych maluchów, których delikatne listki spala jaskrawe słońce na odkrytej przestrzeni. Korzenie większości gatunków gniją na glebach bagiennych i umierają z pragnienia na suchych piachach. Wyjątkowo niefortunne są miejsca lądowania pozbawione jakiejkolwiek odżywczej gleby, na przykład skały czy rozwidlenia gałę-zi. Czasami zaś szczęście jest krótkotrwałe. Jak wtedy, kie-dy nasiona zalegną na wysokich karczach po złamanych pniach. Wyrosną tu na małe drzewka, które zapuszczą ko-rzenie w butwiejącym drewnie. Jednakże najpóźniej pewne-go wyjątkowo suchego lata, gdy nawet martwe drewno wy-parowuje z siebie resztki wilgoci, rzekomi zwycięzcy uschną. Ponadto wiele drzew ma podobne wyobrażenia o idealnej lokalizacji. A to dlatego, że dla większości europejskich ga-tunków obowiązują te same kryteria dobrego samopoczucia. Uwielbiają glebę bogatą w składniki pokarmowe, gruzełko-wato-luźną, dobrze napowietrzoną na parę metrów w głąb. Powinna też być solidnie wilgotna, zwłaszcza w lecie. Lato nie może przy tym być zbyt gorące ani zima zbyt mroźna. Śnieg w ilościach umiarkowanych, tyle żeby do czasu roz-topów porządnie napoił ziemię. Rozciągające się nieopodal góry łagodzą jesienne burze, a w lesie żyje niewiele grzy-bów i owadów atakujących korę i drewno. Gdyby drzewa mogły marzyć o rajskiej krainie, to tak właśnie by wygląda-ła. Jednak takich idealnych warunków ramowych nie ma ni-gdzie, z wyjątkiem paru zaledwie miejsc na Ziemi. I dobrze, że tak jest – z uwagi na różnorodność gatunków. Zawody w idyllicznej Europie Środkowej wygrałby bowiem niemal wyłącznie buk. Bezbłędnie potrafi wykorzystać taką obfi-tość i wypiera każdą konkurencję, przerastając po prostu jej korony, a następnie wynosząc swe pędy szczytowe ponad przegranych. Kto chce przetrwać walkę z tak potężnym ry-walem, musi wymyślić coś innego. Odstępstwa od warun-ków panujących w drzewnej Arkadii oznaczają trudności. Ten, kto chciałby znaleźć sobie niszę ekologiczną obok buka, musi na jakimś polu zostać ascetą. Niszę ekologiczną? Większość przestrzeni życiowych na Ziemi nie oferuje idealnych warunków, dlatego rzecz się ma raczej odwrotnie – trudnych stanowisk jest w nadmiarze i kto tam sobie poradzi, ten może zdobyć ogromny obszar do rozprzestrzenienia się.

Czegoś podobnego dokonał świerk. Jest w stanie zapuścić korzenie wszędzie tam, gdzie lata są krótkie, a zimy przeraźliwie mroźne – na Dalekiej Północy lub w naszych górach blisko górnej granicy lasu. Okres wegetacji na Syberii, w Kanadzie czy Skandynawii często trwa tylko parę tygodni, tak więc buk nie zdążyłby nawet wypuścić liści, a sezon już by się skończył. Zimy ponadto są tak straszliwie mroźne, że pod ich koniec nabawiłby się odmrożeń. Tylko świerk da sobie tam radę. W igłach i korze magazynuje olejki eteryczne, które są swego rodzaju ochroną przed mrozem. Z tego powodu nie musi zrzucać swej zielonej, strojnej sukni i w zimnej porze roku zostawia ją po prostu na gałęziach. Gdy tylko wiosną zrobi się cieplej, od razu może zaczynać fotosyntezę. Ani jeden dzień nie idzie na marne, a jeśli nawet cukier czy drewno da się wytwarzać jedynie przez kilka tygodni, to drzewo i tak rośnie co roku o parę centymetrów. Jednak gdy igły pozostają na gałęziach, pojawia się wielkie ryzyko. Zalega na nich śnieg i stopniowo staje się coraz większym ciężarem, pod którym drzewo może się załamać. By tego uniknąć, świerk ma do dyspozycji dwie strategie obronne. Z jednej strony tworzy z reguły absolutnie prosty pień. Tego, kto rośnie porządnie w pionie, nie da się tak łatwo wytrącić z równowagi. Z drugiej zaś strony gałęzie latem układają się w poziomie. Ale gdy tylko zimą spadnie śnieg, powoli uginają się pod jego ciężarem, póki nie zachodzą na siebie dachówkowato. W ten sposób wzajemnie się wspierają, a zarys sylwetki – patrząc z góry – znacznie się zmniejsza i śnieg w większej części spada obok drzewa. W obfitujących w śnieg wysokich rejonach lub na Dalekiej Północy świerk wykształca ponadto bardzo wąską, długą koronę o krótkich gałęziach, co wzmacnia jeszcze opisany efekt.

Jednak igły niosą też ze sobą inne zagrożenie. Pozostając na drzewie, zwiększają powierzchnię ataku wiatru i podczas zimowych burz świerki łatwo mogą się przewrócić. Chroni je przed tym tylko wyjątkowo powolny wzrost. Ponadstuletnie drzewa mierzą sobie często góra dziesięć metrów, a statystycznie niebezpieczeństwo wzrasta znacznie dopiero od dwudziestu pięciu metrów.

W naszych szerokościach geograficznych z natury rzeczy przeważają lasy bukowe, te zaś przepuszczają niewiele światła na ziemię. Nastawił się na to cis. Jest wcieleniem cierpliwości i pokory. Wie, że z bukami nie może się mierzyć, wyspecjalizował się więc w życiu w dolnych piętrach lasu. Rośnie tu dzięki owym trzem procentom resztkowego światła, które buki przepuszczają przez liście. Często zresztą mija całe stulecie, nim w tych warunkach osiągnie kilka metrów wzrostu i dojrzałość płciową. W tym czasie wiele może się zdarzyć – przystrzygą go roślinożercy, cofając w rozwoju o dziesiątki lat, lub, co gorsza, powali go umierający buk. Jednak uparte drzewo się zabezpiecza. Od początku inwestuje znacznie więcej energii niż inne gatunki w rozbudowę systemu korzeniowego. Tam magazynuje składniki pokarmowe i z zapałem wypuszcza nowe pędy, gdy nad ziemią przytrafi mu się jakieś nieszczęście. Nierzadko dochodzi przy tym do wykształcenia się kilku pni, które w podeszłym wieku mogą się ze sobą zrosnąć. Drzewo wygląda wtedy jak przeorane zmarszczkami. A cis wie, co to starość! Dożywając ponad tysiąca lat, wygrywa z lwią częścią swych większych rywali, tak że w miarę upływu stuleci co pewien czas na powrót stoi w słońcu, bo ponad nim stare drzewo właśnie wydaje swe ostatnie tchnienie. Mimo to cisy nie wyrastają ponad dwadzieścia metrów – ponieważ są pokorne i nie dążą ku wyżynom.

Grab pospolity (który wbrew swej niemieckiej nazwie *Hainbuche*, czyli dosłownie buk gajowy, jest spokrewniony z brzozami) próbuje naśladować cisy, brakuje mu jednak powściągliwości i pokory i potrzebuje nieco więcej światła. Jakoś wprawdzie sobie radzi pośród buków, ale nie wyrasta na duże drzewo. Tak czy owak rzadko przekracza dwadzieścia metrów, bo podobny wzrost osiąga tylko pod drzewem światłożądnym, takim jak dąb. Tu może się swobodnie rozwijać, a ponieważ przynajmniej większym dębom nie wchodzi w paradę, miejsca wystarcza dla obu gatunków. Jednak często przyłącza się do nich buk, który bije na głowę oba gatunki i przerasta przynajmniej dęby. Przewaga grabu leży w tym, że znosi nie tylko głęboki cień, ale i znaczną suszę oraz upał – a tu w którymś momencie buki muszą spasować, graby zaś zyskują szansę przynajmniej na suchszych zboczach południowych.

Bagienna gleba, stojąca, uboga w tlen woda – korzenie większości gatunków drzew tego nie wytrzymują i obumierają. Z taką sytuacją można się zetknąć w pobliżu źródeł lub wzdłuż strumieni, na terenach zalewowych, gdzie ciągle stoi woda. Jeśli zaplącze się tam i wykiełkuje orzeszek bukowy, może nawet wyrosnąć na okazałe drzewo. Jednak podczas letniej burzy buk się przewróci, ponieważ jego przegniłe korzenie nie znajdą punktu oparcia. Z podobnymi trudnościami borykają się świerki, sosny, graby i brzozy, gdy przez jakiś czas lub zgoła na stałe stoją w bagnistej wodzie. Całkiem inaczej rzecz się ma z olchami. Ze swymi trzydziestoma metrami wzrostu nie są tak wysokie jak ich rywale, potrafią jednak świetnie rosnąć na nielubianych bagiennych glebach. Ich sekret tkwi w znajdujących się w korzeniach kanalikach napowietrzających. Tędy tlen transportowany jest do najmniejszych korzonków, podobnie jak to wygląda u nurków, połączonych wężem z powierzchnią. W dolnej części pnia drzewa mają ponadto komórki korkowe, umożliwiające dostęp powietrza. Dopiero gdy lustro wody przez dłuższy czas znajduje się ponad otworami oddechowymi, może to tak osłabić olchy, że ich korzenie padną ofiarą agresywnych grzybów.

DRZEWO CZY NIE DRZEWO?

Co to właściwie jest drzewo? Słownik Dudena definiuje je jako roślinę drzewiastą z pniem, z którego wyrastają gałęzie. Pęd szczytowy musi być zatem dominujący i stale rosnąć do góry, w innym wypadku roślina zalicza się do krzewów, u których wiele cienkich pni, czy raczej gałęzi, wyrasta ze wspólnego systemu korzeniowego. A co jeśli chodzi o wielkość? Sam zawsze mam problemy, gdy widzę raporty dotyczące lasów obszaru Morza Śródziemnego – w moich oczach kłębowiska zarośli. Drzewa to przecież majestatyczne istoty, pod których koroną czujemy się niczym mrówki w trawie. Jednakże podczas moich podróży do Laponii natrafiłem na zupełnie innych przedstawicieli tej grupy, wobec których człowiek czuje się raczej jak Guliwer w krainie Liliputów. To karłowate drzewa tundry, bezmyślnie tratowane przez niejednego wędrowca. Czasami po stu latach dorastają ledwie do dwudziestu centymetrów wysokości. Nauka nie uznaje ich za drzewa, podobnie jak brzozy niskiej, czego można się domyślać już po samej jej nazwie (brzmiącej po niemiecku jeszcze dosadniej – *Strauchbirke*, czyli brzoza krzewiasta). Choć potrafi wytworzyć pień nawet trzymetrowej wysokości, przeważnie znajduje się poniżej linii wzroku i dlatego wyraźnie nie jest poważnie traktowana. Gdyby wszakże do wszystkiego przykładać tę samą miarę, musielibyśmy uznać, że młode buki albo jarzębiny również nie zaliczają się do drzew. Ponadto są one często tak przygryzane przez duże ssaki, takie jak sarny czy jelenie, dla których stanowią pożywienie, że trwają dziesiątki lat w formie krzewów z wieloma pędami o wysokości pięćdziesięciu centymetrów.

A gdy drzewo zostanie ścięte? Czy wtedy jest martwe? Co się dzieje ze wspomnianym kilkusetletnim pniakiem, który towarzysze po dziś dzień utrzymują przy życiu? Czy jest on drzewem, a jeśli nie, to czym w takim razie jest? Rzecz się robi jeszcze bardziej skomplikowana, gdy z tego pniaka puszcza się nowy pień. W wielu lasach jest to nawet regułą, bo właśnie drzewa liściaste były przed wiekami wycinane przez węglarzy i przerabiane na węgiel drzewny. Z pniaków wyrastały nowe pnie, tworzące fundament wielu dzisiejszych lasów liściastych. Zwłaszcza lasy dębowo-grabowe wywodzą się z takich lasów odroślowych. W ich wypadku ścinanie i odrastanie drzew powtarzało się rytmicznie co kilka dekad, tak że drzewa nigdy nie miały czasu bujnie wyrosnąć i dojrzeć. Działo się tak dlatego, że ówczesna ludność była po prostu zbyt biedna i nie mogła sobie pozwolić na dłuższe czekanie na nowe drewno. Takie relikty możecie łatwo rozpoznać podczas spaceru po lesie po przypominających krzewy pniach wielokrotnych lub też po guzowatych zgrubieniach u podnóża pnia, gdzie okresowe zrąbywanie drzewa spowodowało powstanie narośli.

Czy takie pnie są zatem młodymi drzewami, czy też raczej tak naprawdę tysiącletnimi starcami? To pytanie zadają sobie również uczeni, którzy na przykład badają prastare świerki w szwedzkiej prowincji Dalarna. Najstarszy z nich wytworzył coś w rodzaju płaskich zarośli, obramowujących niczym dywan pojedynczy pień. Całość należała do jednego drzewa, a drewno jego korzeni zbadano metodą C14. C14, promieniotwórczy izotop węgla, powstaje ciągle na nowo w atmosferze, po czym ulega powolnemu rozpadowi. Dzięki temu w żywych organizmach nie zmienia się proporcja między nim a pozostałymi izotopami węgla. Związany w nieaktywnej biomasie, jak na przykład w drewnie, cały czas się rozpada, natomiast już go nie przybywa. Im mniejsza więc jego zawartość, tym starsza musi być tkanka. Badanie świerków wykazało po prostu niewiarygodny wiek drzew – dziewięć tysięcy pięćset pięćdziesiąt lat. Pojedyncze pędy były młodsze, jednakże nowych pędów z ostatnich stuleci nie traktowano jako samodzielnych drzew, tylko jako część całości[22]. Moim zdaniem słusznie! Z całą pewnością bowiem korzeń miał tu większe znaczenie niż nadziemny pęd. W końcu to on troszczył się o przeżycie całego organizmu, przetrwał silne wahania klimatyczne i ciągle wytwarzał nowe pnie. W nim zostały zmagazynowane doświadczenia stuleci, które umożliwiły mu przetrwanie do dnia dzisiejszego. Przy okazji świerk obalił parę poglądów naukowych. Z jednej strony nikt do tej pory nie wiedział, że te drzewa iglaste mogą żyć znacznie dłużej niż pięćset lat, z drugiej zaś aż do tego momentu zakładano, że świerki pojawiły się w tej części Szwecji dopiero przed dwoma tysiącami lat, po ustąpieniu lodów. Dla mnie to niepozorne drzewko jest symbolem tego, jak niewiele wiemy o lasach i drzewach i jak wiele cudów jeszcze przed nami do odkrycia.

Wróćmy do pytania, dlaczego korzenie są tą ważniejszą częścią drzewa. Bardzo możliwe, że tam znajduje się coś w rodzaju jego umysłu. Umysłu? Czy to jednak nie jest pewna przesada? Bardzo możliwe, jednakże gdy wiemy, że drzewa potrafią się uczyć, a zatem gromadzić doświadczenia, wówczas musi istnieć przeznaczone do tego odpowiednie miejsce w organizmie. Nie wiadomo, gdzie się ono znajduje, ale korzenie najlepiej by się do tego nadawały. Z jednej strony stare świerki w Szwecji pokazują, że ich podziemna część jest najtrwalszym elementem drzewa – gdzie więc indziej miałoby ono gromadzić długoterminowo ważne informacje? Z drugiej zaś najnowsze badania dowodzą, że w tych delikatnych splotach kryje się jeszcze niejedna niespodzianka. Do tej pory bowiem za bezsporny uchodził fakt, że korzenie sterują wszystkimi czynnościami za pomocą chemii. Nie jest to oczywiście nic uwłaczającego, w końcu i u nas wiele procesów regulują substancje chemiczne – hormony. Korzenie pobierają substancje, transportują je dalej, w ramach rewanżu dostarczają produkty fotosyntezy grzybowym partnerom, a nawet przekazują substancje ostrzegawcze sąsiednim drzewom. Ale umysł? W naszym rozumieniu potrzeba do tego procesów neuronalnych, a do nich należą oprócz substancji semiochemicznych[*] również prądy elektryczne. Te zaś można mierzyć, i to już począwszy od dziewiętnastego wieku. Od wielu lat toczy się wśród uczonych gorący spór – czy rośliny mogą myśleć, czy są inteligentne?

---

[*] To rozmaite związki chemiczne, używane przez rośliny i zwierzęta do przekazywania sobie najróżniejszych informacji w obrębie gatunku i w komunikacji międzygatunkowej. Zob. Wikipedia: https://pl.wikipedia.org/wiki/Substancje_semiochemiczne, dostęp: 15 maja 2016.

František Baluška i jego koledzy z Instytutu Botaniki Komórkowej i Molekularnej Uniwersytetu w Bonn uważają, że w wierzchołku korzenia znajdują się przypominające umysł struktury. Oprócz przewodzenia sygnałów istnieją jeszcze inne cechy wspólne ze zwierzętami, takie jak pewne systemy i molekuły[23]. Gdy korzeń przeciska się przez glebę, może odbierać bodźce. Badacze mierzą sygnały elektryczne, które są przetwarzane w strefie poniżej stożka wzrostu korzeni i prowadzą do zmian zachowania. Gdy korzenie napotykają trujące substancje, nieprzebyte kamienie lub zbyt mokre rejony, wówczas analizują sytuację i przekazują informacje o koniecznych zmianach do strefy wzrostu. Ta w rezultacie zmienia kierunek ruchu i prowadzi swe wypustki naokoło krytycznego obszaru. Większość badaczy roślin powątpiewa dziś jednak, czy oprócz tego można widzieć w korzeniach ostoję inteligencji, pamięci i emocji. Wątpliwości biorą się przede wszystkim z porównywania wyników badań z analogicznymi sytuacjami u zwierząt, a wreszcie również i z tego, że pojawia się niebezpieczeństwo zatarcia granic między roślinami a zwierzętami. No i co z tego? Co w tym takiego strasznego? Podział roślina – zwierzę jest tak czy owak dokonany arbitralnie i zasadza się na sposobie pozyskiwania pożywienia – ta pierwsza prowadzi fotosyntezę, to drugie zjada istoty żywe. Naprawdę duże różnice między nimi zachodzą tylko w długości czasu, w jakim informacje są przetwarzane i realizowane w działaniu. Ale czy rzeczywiście powolne stworzenia są automatycznie mniej wartościowe od szybkich? Nasuwa mi się czasem podejrzenie, że gdyby bezspornie stwierdzono, jak bardzo pod wieloma względami drzewa i inne rośliny zielone są podobne do zwierząt, musielibyśmy je traktować z większym respektem.

W KRAINIE CIEMNOŚCI

Dla nas, ludzi, ziemia jest jeszcze bardziej nieprzejrzysta niż woda i należy to rozumieć również w metaforycznym sensie. Wprawdzie dno oceanów zbadano dużo słabiej niż powierzchnię Księżyca[24], ale za to życie toczące się w ziemi jest jeszcze mniej znane. Oczywiście, istnieje już cała masa odkrytych gatunków i faktów, o których można poczytać. Jednak w porównaniu z różnorodnością życia, które kłębi się pod naszymi stopami, to zaledwie maleńki ułamek. Niemal połowa biomasy lasu tkwi na tym dolnym piętrze. Większości kłębiących się tam istot żywych nie da się zobaczyć gołym okiem. I to jest prawdopodobnie główny powód, dla którego nie interesują nas one tak bardzo, jak na przykład wilk, dzięcioł czarny czy salamandra plamista. Jednak dla drzew są one chyba o wiele ważniejsze. Las mógłby bez problemu zrezygnować ze swych większych mieszkańców. Sarny, jelenie, dziki, zwierzęta drapieżne, a nawet większość ptaków nie zostawiłyby po sobie bolesnej luki w ekosystemie. Nawet gdyby wszystkie zniknęły jednocześnie, las po prostu rósłby dalej, nie zaznawszy większego uszczerbku. W przeciwieństwie do utraty maleńkich stworzonek pod naszymi stopami. W garści leśnej ziemi mieści się więcej istot żywych niż jest ludzi na Ziemi. Pełna łyżeczka do herbaty zawiera już ponad kilometr strzępków grzybni. Wszystkie te organizmy oddziałują na glebę, przekształcają ją i sprawiają, że jest tak wartościowa dla drzew.

Zanim bliżej się przyjrzymy kilkorgu z tych stworzeń, chciałbym jeszcze powrócić do kwestii narodzin gleby. Bez niej nie byłoby lasów, bo drzewa gdzieś muszą się zakorzenić. Naga skała do tego nie wystarczy, ani nawet luźny żwir, który dałby wprawdzie oparcie korzeniom, jednak nie byłby w stanie zmagazynować dostatecznej ilości wody i składników pokarmowych. Procesy geologiczne takie jak zlodowacenia wraz z okresami mrozów rozsadzały skały, lodowce miażdżyły skalne okruchy na piach i pył i w następstwie pojawiała się luźna skała macierzysta. Po stopieniu lodów woda zmywała ją w głębiej położone warstwy i zapadliny bądź też burze porywały ją i tworzyły zwały wielometrowej grubości. Później zagościło tam życie w postaci bakterii, grzybów i roślin, które po śmierci obracały się w próchnicę. Przez tysiące lat na takiej glebie – którą dopiero teraz można nazwać tym mianem – mogły osiedlać się drzewa i czynić ją coraz wartościowszą. Swymi korzeniami umacniały ją i broniły jej przed deszczem i burzą. W tych warunkach erozja niemal już nie zachodziła, za to narastały kolejne warstwy próchnicy, tworząc zaczątki pokładów węgla brunatnego. À propos – erozja jest jednym z największych naturalnych wrogów lasów. Niszczenie gleby jest zawsze skutkiem wydarzeń ekstremalnych, w większości za sprawą wyjątkowo gwałtownych deszczów. Gdy leśna gleba nie jest w stanie od razu wchłonąć całej wody, reszta spływa po powierzchni, zabierając ze sobą niewielkie cząsteczki ziemi. Sami możecie to zaobserwować podczas deszczu – wszędzie tam, gdzie woda jest brązowa i zmętniała, zabiera ze sobą cenną glebę. Straty mogą wynosić rocznie do dziesięciu tysięcy ton na kilometr kwadratowy. Na takiej powierzchni odtwarza się w ciągu roku ze skały macierzystej za sprawą procesów wietrzenia jedynie sto ton gleby, czyli dochodzi do ogromnego uszczerbku. Pewnego dnia jest już tylko żwir. Takie zubożone obszary można dzisiaj znaleźć w wielu miejscach w lasach, które rosną na wyjałowionych glebach, jeszcze przed paroma stuleciami użytkowanych rolniczo. Jeśli natomiast las się ostoi, traci rocznie tylko od czterystu kilogramów do pięciu ton na kilometr kwadratowy. Gleba pod drzewami staje się przez to w miarę upływu czasu coraz grubsza, tak że warunki dla drzew stale się poprawiają[25].

Przejdźmy do zwierząt żyjących w glebie. Nie są one, przyznajmy szczerze, szczególnie atrakcyjne. Z uwagi na ich niewielkie rozmiary większość gatunków jest niedostrzegalna gołym okiem, a gdy weźmiecie lupę do ręki, sytuacja raczej się nie poprawi – mechowce, skoczogonki i wieloszczety nie są niestety tak sympatyczne jak orangutany czy humbaki. W lesie te małe szkarady tworzą początek łańcucha pokarmowego i z tego powodu mogą uchodzić za coś w rodzaju planktonu w glebie. Szkoda, że nauka tylko marginesowo interesuje się odkrytymi dotąd tysiącami gatunków o niewymawialnych łacińskich nazwach, a niezliczone dalsze gatunki daremnie wyczekują swego odkrycia. Ale może to właśnie jest pocieszające – tyle jeszcze tajemnic kryje się w lasach, które rozpościerają się tuż za drzwiami waszych domów. Przyjrzyjmy się tej drobnej cząstce, którą do tej pory ujawniono.

Ot, na przykład wspomniane już mechowce, z których w naszych szerokościach geograficznych żyje ponad tysiąc znanych gatunków. Mierzą mniej niż milimetr i wyglądają jak pajączki ze zbyt krótkimi nóżkami. Ich ciałka są beżowobrązowe, dzięki czemu świetnie się maskują w swym naturalnym środowisku – glebie. Mechowce należą do podgromady roztoczy, co od razu budzi skojarzenia z roztoczami kurzu domowego, żywiącymi się naszym złuszczonym naskórkiem i innymi odpadami, a przy okazji wywołującymi alergie. Przynajmniej część mechowców odgrywa podobną rolę wobec drzew. Spadające z nich liście i łuszcząca się kora gromadziłyby się w metrowych stertach, gdyby nie rzucała się na nie żarłocznie rzesza drobnych zwierzątek. Żyją w opadłym listowiu, które konsumują z wilczym apetytem. Inne gatunki wyspecjalizowały się w grzybach. Zwierzątka siedzą w kanalikach ziemnych i spijają soki wydzielane przez delikatne białe niteczki. Koniec końców te mechowce odżywiają się cukrami, które drzewa oddają swym grzybowym partnerom. Ale nie pogardzą niczym, czy będzie to obumarłe drewno, czy martwe ślimaki, wszystkim się zadowolą. Pojawiają się wszędzie na styku procesów powstawania i rozkładu, a tym samym mogą być uważane za nieodzowny element ekosystemu.

Albo weźmy chrząszcze z rodziny ryjkowcowatych, zwane też słonikami – wyglądają jak maciupeńkie słoniki, którym brak tylko łopocących uszu, i należą do najliczniejszych gatunkowo rodzin owadów; tylko u nas występuje mniej więcej tysiąc czterysta gatunków. Trąba służy im zresztą nie tyle do pobierania pokarmu, ile przede wszystkim do wspierania potomstwa. Za pomocą tego długiego organu chrząszcze wyżerają małe dziurki w liściach i łodygach, a następnie składają tam jaja. W ten sposób chronione przed drapieżnikami larwy mogą wygryzać korytarze w roślinach i w spokoju dorastać[26].

Niektóre z gatunków ryjkowcowatych, przeważnie mieszkańcy gleby, nie potrafią już latać, ponieważ przywykli do powolnego rytmu lasów i ich *quasi*-wiecznego bytowania. Są w stanie przejść maksymalnie dziesięć metrów rocznie, zresztą więcej i tak im nie potrzeba. Gdy zmienia się otoczenie drzewa, gdyż to umiera, chrząszcz musi po prostu ruszyć do następnego i tam podjąć chrupanie butwiejącego listowia. Jeśli znajdziemy takie słoniki, możemy wnosić, że las ma za sobą długą, nieprzerwaną historię. Gdyby las wykarczowano w średniowieczu, a później posadzono na nowo, to takich owadów w nim by nie było, ponieważ droga na piechotę do najbliższego starego lasu jest zwyczajnie za długa.

Wszystkie wymienione zwierzęta mają jedną cechę wspólną – są bardzo małe, a tym samym ich zasięg jest niezwykle ograniczony. W olbrzymich puszczach, które kiedyś pokrywały Europę Środkową, nie miało to znaczenia. Dziś jednak większa część lasu jest zmieniona przez człowieka. Świerki zamiast buków, daglezje zamiast dębów, młode drzewa zamiast starych – zwierzętom to po prostu nie w smak, a zatem głodują i w niektórych okolicach wymierają. Jednak istnieją jeszcze stare lasy liściaste, a wraz z nimi refugia, w których zachowała się niegdysiejsza różnorodność gatunkowa. Jak kraj długi i szeroki zarządy lasów zabiegają o to, by znowu hodować więcej lasów liściastych niż iglastych. Ale jeśli kiedyś potężne buki na nowo wyrosną tam, gdzie dziś burze obalają świerki, robiąc miejsce przeobrażeniom, w jaki sposób powrócą tam mechowce i skoczogonki? Piechotą raczej nie, bo w całym swym życiu nie przeszły nawet metra.

Czy jest zatem w ogóle nadzieja, że pewnego dnia przynajmniej w parkach narodowych, jak na przykład w Lesie Bawarskim, będziemy znowu mogli podziwiać prawdziwe lasy pierwotne? Jest to możliwe, ponieważ badania studentów w moim rewirze wykazują, że przynajmniej drobne zwierzęta związane z lasami iglastymi potrafią przebyć zaskakująco duże odległości. Wyraźnie to widać właśnie na starych plantacjach świerków. Młodzi badacze znaleźli tu gatunki skoczogonków, które wyspecjalizowały się w lasach świerkowych. Takie lasy moi poprzednicy posadzili tu, w Hümmel, dopiero przed stu laty, dawniej rosły u nas, jak wszędzie w Europie Środkowej, przede wszystkim stare buki. Ale jak uzależnione od igieł skoczogonki trafiły do Hümmel? Przypuszczam, że musiała być to sprawka ptaków, które w piórach przeniosły glebową faunę jako pasażerów na gapę. Ptaki chętnie biorą w liściach kąpiel pyłową, by oczyścić pierze. Przyklejają się wtedy do niego maleńcy mieszkańcy gleby, którzy po przelocie do najbliższego lasu zostają zrzuceni podczas kolejnej kąpieli w pyle. A to, co zadziałało w wypadku zwierząt specjalizujących się w świerkach, może funkcjonować także w wypadku gatunków kochających liście. Gdyby w przyszłości pojawiło się więcej starych lasów liściastych, które mogłyby się rozwijać bez przeszkód, wówczas ptaki mogłyby zadbać o ponowne pojawienie się w nich prawowitych lokatorów.

Jednak powrót maleńkich stworzonek może potrwać bardzo, bardzo długo, czego dowodzą najnowsze prace badawcze z Kolonii i Lüneburga[27]. Na Pustaci Lüneburskiej przed ponad stu laty na dawnych gruntach rolnych posadzono lasy dębowe. Już po kilkudziesięciu latach – wedle przypuszczeń naukowców – w glebie powinna się była odtworzyć pierwotna struktura złożona z grzybów i bakterii. Nic podobnego jednak się nie stało – nawet po tym stosunkowo długim czasie w spisie gatunków zieją ogromne luki, a pociąga to za sobą bardzo poważne skutki dla lasu. Obiegi składników pokarmowych oparte na procesach powstawania i rozkładu nie funkcjonują prawidłowo, ponadto w glebie stwierdza się nadal nadmiar azotu pochodzącego z niegdysiejszych nawozów. Las dębowy rośnie wprawdzie szybciej niż porównywalne drzewostany rosnące na dawnej glebie lasu pierwotnego, jest jednak wyraźnie wrażliwszy, na przykład na suszę. Nikt nie wie, jak długo musi potrwać ponowne wykształcenie się prawdziwej leśnej gleby, wiemy tylko tyle, że sto lat nie wystarczy. A ponadto by regeneracja w ogóle mogła mieć miejsce, potrzeba rezerwatów lasów pierwotnych, bez najmniejszego śladu ludzkiego działania. Tam różnorodne życie w glebie może przetrwać i posłużyć jako zalążek odnowy okolicznych rejonów. Nie trzeba przy tym zresztą wyrzekać się wszystkiego, jak od lat demonstruje to gmina Hümmel. Objęła ona ochroną wszystkie stare lasy bukowe i użytkuje je komercyjnie w inny sposób. Część jest wykorzystywana jako las cmentarny, a drzewa wynajmuje się jako żywe kamienie nagrobne przy pochówku urn. Stać się cząstką puszczy po śmierci – czyż to nie jest piękny pomysł? Inny obszar rezerwatów jest wynajmowany firmom, które tą drogą wspomagają ochronę środowiska naturalnego. Równoważy się w ten sposób utratę wpływów z użytkowania drewna, a człowiek i natura są zadowoleni.

ODKURZACZ CO$_2$

W ciągle szeroko rozpowszechnianym, szalenie uproszczonym obrazie cykli natury drzewa są symbolem zrównoważonego bilansu. Prowadzą fotosyntezę i produkują przy tym węglowodany, wykorzystują je do wzrostu i w ciągu życia magazynują w pniu, gałęziach i systemie korzeniowym do dwudziestu ton CO$_2$. Gdy pewnego dnia umrą, wyzwoli się dokładnie taka sama ilość gazów cieplarnianych, ponieważ grzyby i bakterie przetrawią drewno i przetworzone uwolnią z powrotem do atmosfery. Zresztą na tej koncepcji opiera się również twierdzenie, że spalanie drewna jest obojętne dla klimatu. W końcu nie liczy się przecież, czy polana zostaną rozłożone na cząstki gazowe przez drobne organizmy, czy też to zadanie przejmą kominki. Tyle tylko, że las tak prosto nie działa. Jest w istocie gigantycznym odkurzaczem CO$_2$ – bezustannie odfiltrowuje ten składnik z powietrza i magazynuje go. Wprawdzie jakaś część po śmierci drzewa faktycznie powróci do atmosfery, ale spora reszta pozostanie na trwałe w ekosystemie. Rozmaite gatunki będą powoli rozdrabniać murszejący pień na coraz mniejsze kawałeczki, pożerać go i tak stopniowo, centymetr po centymetrze, przetwarzać na glebę. Na sam koniec sprawę załatwi deszcz, który zaleje organiczne szczątki.

Im głębiej pod ziemią, tym zimniej. A wraz ze spadającą temperaturą spowalniają się też procesy życiowe, aż wreszcie niemal zamierają. Tym samym CO_2 znajduje w leśnej próchnicy swe ostatnie miejsce spoczynku i powoli się nawarstwia. W bardzo, bardzo odległej przyszłości będzie z niego być może węgiel brunatny lub kamienny. Obecne złoża tych kopalin powstały przed mniej więcej trzystu milionami lat także z drzew. Wyglądały one wprawdzie nieco inaczej i przypominały raczej trzydziestometrowe paprocie i skrzypy, jednakże mając pnie o dwumetrowej średnicy, mogły osiągać rozmiary dzisiejszych gatunków. Większość drzew rosła na bagnach, a gdy umierały ze starości, ich pień z plaśnięciem zapadał się w grzęzawisko, gdzie procesy gnilne niemal nie zachodziły. W ciągu tysięcy lat powstawały w ten sposób grube warstwy torfu, na które później nałożył się żwir i za sprawą ciśnienia stopniowo przekształcił w węgiel. W dużych konwencjonalnych elektrowniach spala się dziś zatem skamieniałe lasy. Czy nie byłoby pięknym i rozsądnym pomysłem, byśmy dali naszym drzewom szansę pójścia drogą przodków? Mogłyby wychwycić z atmosfery przynajmniej część CO_2 i zmagazynować go w glebie.

Dziś jednak prawie wcale nie dochodzi do powstawania węgla, ponieważ lasy są stale trzebione wskutek działalności gospodarczej (pozyskiwanie drewna). Rozgrzewające promienie słońca docierają swobodnie do ziemi i pomagają żyjącym tam gatunkom osiągnąć pełnię formy. Pożerają więc one ostatnie zapasy próchnicy również w głębszych warstwach i uwalniają je do atmosfery w postaci gazu. Łączna ilość uchodzących gazów cieplarnianych odpowiada przy tym mniej więcej tej, jaką uwolnić może potencjalne drewno użytkowe. Na każde polano, które spalacie w kominku, przypada uwalniająca się z leśnej gleby do atmosfery taka sama masa CO_2. Magazyn węgla pod drzewami jest zatem w naszych szerokościach geograficznych opróżniany na bieżąco.

Jednak podczas spaceru po lesie możecie przynajmniej zobaczyć wstępne procesy powstawania węgla. Rozgrzebcie nieco ziemię, aż natraficie na jaśniejszą warstwę. Właśnie do tej linii położona wyżej ciemniejsza część zawiera mnóstwo węgla (pierwiastka). Gdybyśmy w tej chwili zostawili las w spokoju, tu właśnie byłby zaczątek przyszłego węgla, gazu ziemnego czy ropy naftowej. Przynajmniej na dużych obszarach objętych ochroną, tak jak w strefach ochrony ścisłej parków narodowych, procesy te dzisiaj na powrót przebiegają bez zakłóceń. Skąpe warstwy próchnicy nie są bynajmniej rezultatem dzisiejszej gospodarki leśnej – już Rzymianie i Celtowie gorliwie uwijali się z siekierami po lesie, hamując procesy naturalne.

Jaki jednak sens ma właściwie dla drzew trwała eliminacja ich ulubionego pożywienia? I nie chodzi tu tylko o drzewa – wszystkie rośliny wraz z glonami w oceanach odfiltrowują CO_2, który po zatonięciu martwej rośliny gromadzi się w mule na dnie w postaci związków węgla. Jeśli liczyć razem ze szczątkami zwierzęcymi, na przykład wapieniem koralowym, który w ogóle jest jednym z największych magazynów CO_2, przez miliony lat z atmosfery została pobrana ogromna ilość węgla. W chwili powstania wielkich złóż węgla kopalnego, w karbonie, stężenie CO_2 aż dziewięć razy przekraczało dzisiejsze wartości, póki ówczesnym lasom nie udało się go zredukować do bądź co bądź równie imponującej trzykrotności obecnych wskazań[28]. W którym punkcie jednak nasze lasy dojdą do ściany? Czy ciągle będą gromadzić węgiel, aż w którymś momencie kompletnie go zabraknie w powietrzu? W obliczu naszego konsumpcjonizmu pytanie można już uznać za niebyłe, bo odwróciliśmy problem i żwawo opróżniamy wszystkie zbiorniki CO_2. Ropa naftowa, gaz ziemny i węgiel są spalane w postaci materiałów opałowych oraz paliw i puszczane z dymem. Czy zatem, abstrahując od zmian klimatu, nie jest to przypadkiem błogosławieństwem, że uwalniamy dziś gazy cieplarniane z podziemnego więzienia i pozwalamy im działać? Tak daleko bym się nie posunął, ale tak czy owak efekt „nawożenia" wywołany przez spotęgowane w międzyczasie stężenie CO_2 jest możliwy do wykazania. Drzewa rosną szybciej, jak dowodzą najnowsze inwentaryzacje lasów. Trzeba przeliczyć tabele szacowania produkcji drewna, ponieważ teraz przyrasta o jedną trzecią więcej biomasy niż jeszcze przed kilkoma dziesiątkami lat. Ale jak to kiedyś było? Jeśli drzewo chciało osiągnąć wiek sędziwy, musiało przestrzegać zasady powolności. Ten wzrost jest niezdrowy, dodatkowo napędzany jeszcze intensywnymi dawkami azotu z gospodarki rolnej. A więc jednak stara reguła nadal obowiązuje – mniej (CO_2) znaczy więcej (długości życia).

Już jako student leśnictwa uczyłem się, że młode drzewa mają więcej energii życiowej i szybciej rosną niż stare. Ten pogląd naukowy istnieje do dziś i prowadzi do wniosku, że lasy powinny być odmładzane. Odmładzane? Oznacza to nic innego jak wycinkę starych drzew i zastępowanie ich świeżo posadzonymi drzewkami. Tylko wówczas lasy byłyby stabilne i produkowały odpowiednio dużo drewna, a przez to pobierały i wiązały CO_2 z powietrza – tak brzmią obecne wypowiedzi związków właścicieli lasów i reprezentantów gospodarki leśnej. W zależności od gatunku drzewa siła wzrostu miałaby słabnąć między sześćdziesiątym a sto dwudziestym rokiem życia, czyli wówczas nadchodzi pora wpuszczenia do lasu maszyn do wycinki drzew. Czyżby ideały wiecznej młodości, które w naszym społeczeństwie prowokują gorące spory, były tak po prostu stosowane do lasu? Rodzi się przynajmniej takie podejrzenie, bo studwudziestoletnie drzewo jest, jeśli przykładać ludzką miarę, młodzieńcem, który właśnie pożegnał szkołę.

Dotychczasowe założenia naukowe wydają się rzeczywiście całkowicie postawione na głowie, jak wskazuje studium międzynarodowego zespołu badaczy. Uczeni zbadali mniej więcej siedemset tysięcy drzew na wszystkich kontynentach. Wynik jest zaskakujący: im starsze były drzewa, tym szybciej rosły. Tak więc drzewa o metrowej średnicy pnia produkowały trzy razy tyle biomasy, co okazy o ledwie półmetrowym przekroju[29]. „Stary" nie oznacza u drzew „słaby, zgarbiony i chorowity", lecz wręcz przeciwnie – „efektywny i pełen werwy". Drzewni starcy są zatem wyraźnie produktywniejsi niż młode szczawie, a w związku ze zmianą klimatu są też ważnymi sprzymierzeńcami ludzi. Hasło odmładzania lasów, by tchnąć w nie siły witalne, wolno od momentu publikacji tego studium określić co najmniej mianem mylnego. Co najwyżej w kontekście użytkowania drewna można od pewnego wieku drzew odnotować zmniejszanie się ich wartości. Grzyby mogą wówczas doprowadzić do butwienia wnętrza pnia, jednak w żadnej mierze nie upośledza to dalszego wzrostu. Gdybyśmy chcieli wykorzystać lasy jako środek w walce ze zmianami klimatycznymi, musimy pozwolić im na starzenie się, właśnie tak jak tego żądają wielkie stowarzyszenia ochrony przyrody.

KLIMATYZACJA Z DREWNA

Drzewa nie lubią diametralnych wahań temperatury i wilgotności. Jednak nawet dla wielkich roślin regionalny klimat nie czyni wyjątków. Ale czy przypadkiem drzewa nie znalazły paru sposobów, żeby samodzielnie interweniować w tej kwestii? Kluczowego przeżycia w tym względzie dostarczył mi niewielki lasek pod Bambergiem, rosnący na suchej, piaszczystej glebie, ubogiej w składniki pokarmowe. Naukowcy zajmujący się leśnictwem dawno orzekli, że tylko sosny tu się udadzą. Nie chcąc tworzyć nudnej monokultury, dosadzono jeszcze kilka buków, których liście miały nieco złagodzić żyjącym w glebie organizmom kwaśny odczyn sosnowych igieł. W odniesieniu do tych drzew liściastych nie myślano o produkcji drewna, uchodziły za tak zwane gatunki biocenotyczne. Jednakże buki nie miały najmniejszego zamiaru pokornie się godzić na podporządkowane pozycje. Po paru dekadach pokazały swe prawdziwe oblicze.

Ich corocznie opadające liście produkowały delikatną próchnicę, która gromadziła mnóstwo wody. Ponadto powietrze w lasku stawało się stopniowo coraz wilgotniejsze, gdyż liście pnących się ku górze drzewek wyhamowywały wiatr wiejący między pniami sosen i w ten sposób wyciszały atmosferę. Wyparowywało przez to mniej wody. Pozwoliło to bukom na bujny rozwój, a pewnego dnia wystrzeliły ostatecznie ponad czubki sosen. Leśna gleba i mikroklimat zdążyły się już tymczasem tak przeobrazić, że warunki środowiskowe były o wiele lepsze dla drzew liściastych niż dla cichych i pokornych iglastych. To piękny przykład tego, co drzewa potrafią zmienić. Leśnicy mówią także, że las sam sobie szykuje idealne stanowisko. Łatwo pojąć, jak zapewnia sobie bezwietrzną pogodę, ale co z gospodarką wodną? Gdy latem gorące powietrze nie jest w stanie wysuszyć leśnej gleby, bo ta jest stale dobrze zacieniona i chroniona, wówczas da się to jeszcze zrozumieć. Studenci RWTH w Akwizgranie zbadali w moim rewirze, jak duże mogą być różnice temperatur między przetrzebionym lasem iglastym a naturalnym, starym lasem bukowym. W wyjątkowo gorący sierpniowy dzień, kiedy słupek rtęci w termometrze wystrzelił do trzydziestu siedmiu stopni Celsjusza, ziemia w lesie liściastym była do dziesięciu stopni chłodniejsza niż ziemia w oddalonym ledwie o parę kilometrów lesie iglastym. Ochłodzenie to, dzięki któremu wyparowuje mniej wody, wynika w znacznym stopniu – obok zacienienia – również z biomasy. Im więcej las ma żywego i martwego drewna, tym grubsza warstwa próchnicy w glebie i tym więcej wody gromadzi się w masie łącznej. Parowanie powoduje chłód, który z kolei sprawia, że nie jest ono tak intensywne. Można by też powiedzieć, że dziewiczy las może się latem spocić i w ten sposób osiąga ten sam efekt, jaki pot wywołuje u nas, ludzi. Pocenie się drzew możecie zresztą pośrednio zaobserwować – i to przy domach. Rosną tam często dawne żywe choinki, których nikt nie chciał wyrzucić, więc je posadzono i cieszą się jak najlepszym zdrowiem. Rosną i rosną, a w którymś momencie stają się o wiele wyższe, niż oczekiwali właściciele. Przede wszystkim jednak w większości wypadków stoją one za blisko ścian budynków, częściowo sięgają nawet konarami ponad dach. I tam pojawiają się swego rodzaju plamy potu. To, co dla nas, ludzi, jest już wystarczająco nieprzyjemne pod pachami, ma dla domów nie tylko wizualne skutki. Wskutek pocenia się drzew robi się tak wilgotno, że na fasadach i dachówkach osiedlają się glony i mchy. Deszcz gorzej spływa, hamowany przez roślinną okrywę, a obluzowane poduchy mchu zatykają rynnę. W miarę upływu lat tynk się kruszy wskutek wilgoci i trzeba przeprowadzać przedwczesny remont. Właściciele samochodów parkowanych pod drzewami odnoszą natomiast korzyści z tego działania kompensacyjnego. Przy temperaturach zbliżonych do zera ci, którzy parkują swe auta pod gołym niebem, muszą zeskrobywać lód z ich szyb, podczas gdy pojazdy zaparkowane pod koronami drzew często w ogóle nie są oblodzone. Abstrahując od tego, że drzewa mogą mieć negatywny wpływ na elewację budowli, fascynuje mnie, w jakim stopniu świerki i inne gatunki potrafią regulować mikroklimat otoczenia. O ileż większa musi być zatem siła oddziaływania dziewiczego lasu!

Ten, kto się porządnie poci, musi dużo pić. I faktycznie sami możecie zaobserwować takie drzewne popijawy, choć tylko przy potężnym oberwaniu chmury. Takie zjawisko występuje zwykle w parze z burzami, więc nie chciałbym tu polecać spacerów po lesie w tym czasie. Jeśli jednak jesteście już – jak ja (często z powodów zawodowych) – i tak na dworze, to możecie być świadkami fascynującego spektaklu. Przeważnie to buki urządzają sobie regularną bibę. Ich gałęzie wyciągają się jak u wielu drzew liściastych ukosem do góry. Można by równie dobrze powiedzieć – ukosem do dołu. Korona bowiem służy nie tylko do rozpościerania liści w słonecznym świetle, lecz także do chwytania wody. Deszcz pada na setki tysięcy liści, z których wilgoć skapuje na gałęzie. Stamtąd spływa dalej konarami, gdzie maleńkie strużki łączą się w strumień i z szumem rwą po pniu ku ziemi. W dolnej jego części woda tryska z taką siłą, że przy zetknięciu z glebą energicznie się pieni. Podczas gwałtownej burzy dorosłe drzewo może wchłonąć dodatkowo ponad tysiąc litrów, które za sprawą swej budowy kieruje prosto ku korzeniom. Tam woda zostanie zmagazynowana w okolicznej glebie i pomoże przetrwać niejeden okres suszy.

Świerki i jodły nie potrafią czegoś takiego. Jednak jodły chętnie wkręcają się chytrze między buki, świerki zaś często stoją mocno spragnione wśród krewniaków. Ich korony działają jak parasole, co jest bardzo praktyczne z punktu widzenia wędrowca. Przynajmniej podczas przelotnego deszczu nie zmoknie przytulony do pnia, ale to samo dotyczy również korzeni drzewa. Deszcze o intensywności do dziesięciu litrów na metr kwadratowy (a to już jest całkiem porządny deszcz) osadzają się w całości na igłach i gałęziach. Gdy tylko chmury się rozstąpią, wyparowują i w ten sposób wartościowa wilgoć jest dla lasu stracona. Dlaczego świerki robią coś takiego? Nie umieją się po prostu adaptować do braku wody. Ich strefą komfortu są zimne regiony, w których z racji niskich temperatur woda niemal nie paruje z gleby, na przykład w Alpach tuż pod górną granicą lasu, gdzie dodatkowo obfitsze opady sprawiają, że brak wody pozostaje problemem nieznanym. Świerki przygotowane są za to na silne opady śniegu, dlatego ich konary są ustawione poziomo lub lekko zgięte ku dołowi, by mogły się złożyć przy dużym obciążeniu. Jednak przez to woda nie spływa po nich i pod nie, a gdy świerki rosną na niżej położonych, suchszych stanowiskach, to tracą korzyści z zimy. Większość dzisiejszych lasów iglastych Europy Środkowej została sztucznie posadzona, i to tam, gdzie człowiek uważał to za słuszne. Tam drzewa stale cierpią z pragnienia, bo ich przyrodzony parasol zatrzymuje jedną trzecią opadów i z powrotem oddaje atmosferze. W wypadku lasów liściastych ta wartość wynosi jedynie piętnaście procent, tak więc dostają o piętnaście procent więcej wody niż ich pokryci igłami koledzy.

LAS JAKO POMPA WODNA

Skąd właściwie bierze się woda w lesie lub – by zadać jeszcze bardziej fundamentalne pytanie – w ogóle na lądzie? Niby brzmi prosto, ale odpowiedź w pierwszej chwili jest niełatwa. A to dlatego, że jedną z najistotniejszych cech lądu jest to, że leży wyżej niż morza. Woda za sprawą siły ciążenia spływa zawsze do najniżej położonego punktu, więc kontynenty powinny wyschnąć. Przeciwdziała temu stała dostawa wody, którą zapewniają chmury tworzące się nad morzami i transportowane dalej przez wiatry. Jednak ten mechanizm funkcjonuje tylko w obrębie paruset kilometrów od wybrzeża. Im dalej posuwamy się w głąb lądu, tym robi się bardziej sucho, ponieważ chmury oddają wodę w postaci deszczów i znikają. Już po sześciuset kilometrach jest tak sucho, że pojawiają się pierwsze pustynie. Życie zasadniczo powinno być możliwe tylko w wąskim pasie na skraju kontynentów, a ich wnętrza powinny być posępne i wyschłe na wiór. Zasadniczo. Ale na szczęście są przecież lasy. Są formą wegetacji o największej powierzchni liści. Na metr kwadratowy lasu rozpościera się w koronach drzew dwadzieścia siedem metrów kwadratowych liści i igieł[30]. Opady osiadają częściowo tam, w górze, i zaraz wyparowują. Dodatkowo latem drzewa zużywają na kilometr kwadratowy do dwóch tysięcy pięciuset metrów sześciennych wody, którą oddychając, zwracają do atmosfery. Z pary wodnej tworzą się ponownie chmury, które płyną w głąb lądu i tam w postaci deszczu spadają na ziemię. Ta gra toczy się cały czas, więc nawet najodleglejsze rejony są zaopatrywane w wilgoć. Pompa wodna działa tak dobrze, że w niektórych makroregionach Ziemi, na przykład w dorzeczu Amazonki, opady deszczu nawet wiele tysięcy kilometrów w głębi lądu nie różnią się zbytnio wielkością od tych na wybrzeżu. Jedyny warunek jest taki, że między morzem a najodleglejszym zakątkiem lądu musi znajdować się las. A przede wszystkim – jeśli brak pierwszego komponentu, czyli lasu nadbrzeżnego, cały system się załamuje. Uznanie za odkrycie tych niewiarygodnie ważnych powiązań należy się naukowcom skupionym wokół Anastazji Makariewej z Sankt Petersburga w Rosji[31]. Prowadzili oni badania w rozmaitych lasach na całym świecie i stale dochodzili do takich samych wniosków. Czy chodziło o las deszczowy, czy syberyjską tajgę, zawsze niezbędną do życia wilgoć w głąb lądu przekazywały drzewa. Badacze odkryli także, że cały proces zamiera, gdy lasy nabrzeża zostają wycięte. To mniej więcej tak, jak gdyby w wypadku pompy elektrycznej wyciągnąć z wody króciec ssawny. W Brazylii skutki widać już wyraźnie – las deszczowy w Amazonii coraz bardziej wysycha. W Europie Środkowej znajdujemy się w obrębie sześciusetkilometrowego pasa, a tym samym w zasięgu ssania pompy. Szczęśliwie są tu jeszcze lasy, nawet jeśli już mocno uszczuplone.

Lasy iglaste półkuli północnej mają też inną możliwość, by wpływać na klimat i gospodarkę wodną. Wydzielają terpeny, substancje służące pierwotnie do obrony przed chorobami i pasożytami. Jeśli ich molekuły znajdą się w powietrzu, to wokół nich kondensuje się wilgoć. Tworzą się przez to chmury o podwójnej grubości w porównaniu z chmurami formującymi się nad niezalesionymi przestrzeniami. Prawdopodobieństwo deszczu wzrasta, a mniej więcej pięć procent światła słonecznego jest dodatkowo odbijane. Klimat lokalny się ochładza – staje się chłodny i wilgotny, czyli taki, jaki drzewa iglaste lubią najbardziej. Bardzo możliwe, że z uwagi na te wzajemne oddziaływania ekosystemy te odgrywają rolę silnie hamującą w procesie zmiany klimatu[32].

Dla naszych rodzimych ekosystemów regularne opady są ogromnie ważne, bo woda i las są niemal nierozłączne. Wszystkie ekosystemy, czy będzie to strumień, bajoro czy sam las, muszą zapewniać swym mieszkańcom możliwie stałe warunki bytowania. Typowym przykładem organizmu, który nie lubi dużych zmian, są ślimaki z rodzaju źródlarek. W zależności od gatunku często mierzą sobie mniej niż dwa milimetry i uwielbiają zimną wodę. Jej temperatura nie powinna być wyższa niż osiem stopni, co w wypadku wielu źródlarek tłumaczy się ich historią – ich przodkowie żyli w wodach roztopowych lodowca, które podczas ostatniego zlodowacenia można było znaleźć na rozległych obszarach Europy. Podobne warunki zapewniają czyste źródła leśne. Tam również bije niezmiennie chłodna woda, bo źródła nie są niczym innym jak wydostającą się na powierzchnię wodą gruntową. W głębokich warstwach gleby jest ona izolowana od temperatur zewnętrznych i dlatego pozostaje równie zimna zimą, jak i latem. Dla źródlarek źródła są w dzisiejszych czasach, kiedy nie ma już lodowców, idealnym biotopem zastępczym. Jednak woda musi tryskać przez cały rok i tu właśnie do gry wkracza las. Leśna gleba oddziałuje jak wielki zbiornik i zbiera pilnie wszystkie opady. Drzewa dbają o to, by krople deszczu nie uderzały zbyt mocno o ziemię, lecz miękko spływały z gałęzi. Luźna gleba wchłania wodę w całości, tak że nie łączy się ona w strumyczki i nie odpływa w mgnieniu oka, tylko jest zatrzymywana w glebie. Jeśli ta jest dostatecznie nasycona, zbiornik dla drzew napełniony, to nadmiarowa wilgoć przecieka powoli przez wiele lat do coraz głębszych warstw. Czasem mijają całe dekady, zanim wilgoć znów pojawi się na powierzchni. Wahania między okresami suszy a okresami ulew tymczasem się zacierają i pozostaje tylko równomiernie tryskające wodą źródło. Mimo że nie zawsze można nazwać to tryskaniem. Często wygląda to tak, jakby jakaś rozmokła, grząska plama na leśnej glebie ciągnęła się ciemnym śladem do najbliższego strumyczka. Przy dokładnych oględzinach (a do tego trzeba uklęknąć) możecie rozpoznać maleńkie strużki, które świadczą o obecności źródła. Termometr zdradzi, czy chodzi tylko o wodę powierzchniową po gwałtownej ulewie, czy też faktycznie o wody gruntowe. Poniżej dziewięciu stopni? To musi być prawdziwe źródło! Ale któż nosi przy sobie termometr? Inną możliwością jest spacer do lasu w trzaskający mróz. Kałuże i woda deszczowa wprawdzie zamarzły, ale ze źródeł nadal dzielnie ciurka woda. Tu więc jest siedlisko źródlarek, które przez cały rok mogą się roz-koszować temperaturą, w jakiej czują się najlepiej. Dzieje się tak nie tylko dzięki leśnej glebie. Latem taki mikrobiotop szybko mógłby się podgrzać, a ślimaki by się przegrza-ły. Jednak cienisty dach z listowia nie dopuszcza zbyt wielu promieni słonecznych.

Las służy podobną pomocą strumieniom, która w ich wypadku jest nawet jeszcze ważniejsza. W przeciwieństwie bowiem do źródeł, które mają w końcu zapewniony stały dopływ chłodnej cieczy, ich woda jest narażona na więk-sze wahania temperatury. Jednakże na przykład larwy sala-mander, które podobnie jak kijanki czekają tu na życie poza strumieniem, podchodzą do rzeczy podobnie jak źródlarki – woda musi pozostać chłodna, żeby tlen się z niej nie ulotnił. Jeśli natomiast wszystko zamarznie, to salamandrze potom-stwo również wyzionie ducha. Dobrze, że drzewa mimocho-dem rozwiązują ten problem. Zimą, gdy słońce ledwie grzeje, bezlistne konary przepuszczają dużo ciepła. Ruch wody po-nad dnem także zapobiega prędkiemu zamarzaniu. Późną wiosną, gdy słońce wznosi się coraz wyżej nad horyzontem i robi się odczuwalnie cieplej, drzewa liściaste wypuszczają liście, czyli opuszczają żaluzje i ocieniają płynące wody. Do-piero jesienią, gdy temperatura ponownie spadnie, niebo na powrót otworzy się nad strumieniem, ponieważ wszystkie liście zostaną zrzucone. Strumienie pod drzewami iglasty-mi są w ewidentnie gorszym położeniu. Zimą jest tam prze-nikliwie zimno, woda czasem zamarza w nich całkowicie, a ponieważ wiosną rozgrzewa się bardzo powoli, dla wie-lu organizmów nie wchodzi w grę jako możliwa przestrzeń życiowa. Jednak takie doliny strumienia, ciemne choć oko wykol, występują w naturze bardzo rzadko, bo świerki nie lubią mieć mokrych nóg i dlatego zwykle zachowują bezpieczny dystans. Tego typu konflikty między lasem iglastym a mieszkańcami strumienia przeważnie są powodowane przez sztucznie sadzone lasy.

Znaczenie drzew dla strumieni nie zmniejsza się również po ich śmierci. Jeżeli na przykład martwy buk zwali się w poprzek łożyska strumienia, to pozostanie tam na dziesiątki lat. Działa jak mała tama i zapewnia niewielkie obszary stojącej wody, w której mogą przetrwać gatunki nieznoszące silnych prądów, takie jak niepozorne larwy salamander. Wyglądają jak małe traszki, mają jednak pierzaste skrzela zewnętrzne, są pokryte subtelnymi ciemnymi plamkami i u nasady nóg mają żółty punkt. W zimnych leśnych wodach czatują na małe raczki, które z upodobaniem konsumują. Jakość wody według wymagań salamandrząt musi być najwyższej próby i nawet to gwarantują martwe drzewa. W spiętrzonych bajorkach osadzają się cząsteczki zawiesiny i szlam, a spowolniony przepływ daje bakteriom więcej czasu na likwidację szkodliwych substancji. Nie ma też powodu do zmartwień, jeśli czasem po gwałtownej ulewie wytworzy się piana. To, co wygląda jak zbrodnia na środowisku, jest w rzeczywistości skutkiem działania kwasów huminowych i napowietrzania wody na niewielkich wodospadach. Kwasy te powstają przy rozkładzie listowia oraz martwego drewna i są nad wyraz cenne dla ekosystemu.

W ciągu ostatnich lat las przy tworzeniu bajorek jest coraz mniej zdany na przewrócone martwe pnie. Zyskuje bowiem coraz większe wsparcie ze strony niegdyś wytępionego reemigranta – bobra. Wypada wątpić, czy drzewa to faktycznie cieszy, bo ten ważący do trzydziestu kilogramów gryzoń pełni wśród zwierząt funkcję drwala. W ciągu jednej nocy obala drzewa o grubości od ośmiu do dziesięciu centymetrów, większe zaś okazy ścina podczas kilku szycht. Chodzi mu o gałęzie, którymi się żywi. Duże ich ilości magazynuje na zimę w żeremiach, które w miarę upływu lat osiągają szerokość wielu metrów. Gałęzie służą także do tego, by zamaskować wejścia do budowli. Bobry układają je też pod wodą w charakterze dalszego zabezpieczenia, by drapieżniki nie miały tam wstępu. Poziom wody może ulegać wahaniom w zależności od pory roku, wiele zwierząt buduje więc tamy i w ten sposób spiętrza wody strumieni w wielkie stawy. Wyhamowuje to tempo odpływu wody z lasu, a w rejonie spiętrzenia tworzą się duże mokradła. Cieszy to olchy i wierzby. Jednak nawet gatunki drzew czerpiące profity z obecności bobrów nie mają szans się zestarzeć tam, gdzie te zwierzęta się wprowadziły, bo stanowią dla nich żywe zapasy pożywienia.

Bobry szkodzą zatem lasowi w swoim otoczeniu, jednak regulując gospodarkę wodną, wywierają nań, ogólnie rzecz biorąc, dobroczynny wpływ. Ponadto tworzą biotopy dla gatunków, które żyją w rozleglejszych wodach stojących.

Na koniec tego rozdziału powróćmy jeszcze do genezy wody w lesie – do deszczu. Może stworzyć fantastyczny nastrój podczas wędrówki, jednak gdy nie mamy odpowiedniego ubrania, będzie uciążliwy. Stare lasy liściaste oferują tutaj usługę specjalną – krótkoterminową prognozę pogody w postaci śpiewu zięb. Te rdzawe ptaszki o szarym łebku śpiewają zazwyczaj zwrotkę, którą niemieccy ornitolodzy tłumaczą chętnie jako *„Bin bin bin ich nicht ein schöner*

Feldmarschall", czyli „Czy czy czy nie piękny ze mnie feld-marszałek", a polscy jako „cze-kaj – cze-kaj – coś zrobiła – a widzisz?". Można ją jednak usłyszeć tylko przy pięknej pogodzie, bo jeśli zanosi się na deszcz, trel zmienia się – po niemiecku – w głośne *„rääätsch"*, a po polsku we „writ"[*].

---

[*] Obszerny opis śpiewu zięby po polsku podaje Wikipedia: https://pl.wiki-pedia.org/wiki/Zi%C4%99ba_zwyczajna, dostęp: 15 maja 2016.

MOJE CZY TWOJE

Leśny ekosystem trwa w subtelnej równowadze. Każde stworzenie ma w nim swoją niszę, swą funkcję, które służą dobru wszystkich. W taki sposób opisuje się często naturę, jednak niestety jest to opis fałszywy. Bo tam, pod drzewami, rządzi prawo silniejszego. Każdy gatunek chciałby przeżyć i zabiera innemu to, czego sam potrzebuje. Zasadniczo nikt nie zna litości, a system przed gigantycznym załamaniem chronią jedynie mechanizmy obronne, które przeciwdziałają bezprawnej ingerencji. Ostatnie zabezpieczenie stanowi własny interes genetyczny – ten, kto jest zbyt chciwy i zbyt wiele zabiera dla siebie, nic w zamian nie dając, pozbawia się własnej bazy życiowej i ginie. Z tego powodu większość gatunków wykształciła zachowania wrodzone, chroniące las przed gospodarką rabunkową. Wzorcowy przykład już poznaliśmy. Chodzi o sójkę, która wprawdzie zjada żołędzie i bukiew, ale za to wielekroć więcej zagrzebuje w ziemi. W ten sposób dzięki niej drzewa lepiej się rozmnażają.

Gdy idziecie przez wysoki, ciemny las, przemierzacie dom towarowy. Jest pełen wszelkich rarytasów, przynajmniej z punktu widzenia zwierząt, grzybów czy bakterii. Samo tylko drzewo zawiera miliony kalorii w formie cukru, celulozy, innych węglowodanów oraz ligniny. Do tego dochodzi jeszcze woda i rzadkie minerały. Czy powiedziałem „dom towarowy"? Lepsze byłoby pojęcie „skarbiec", bo bynajmniej nie zaleca się tu samoobsługi. Drzwi są zaryglowane, kora gruba i trzeba naprawdę coś wykombinować, by dobrać się do słodkich skarbów. No chyba że jest się dzięciołem. Dzięki specjalnemu zawieszeniu dzioba i tłumiącym wstrząsy mięśniom czaszki może on kuć drzewo, nie narażając się na bóle głowy. Wiosną, gdy w drzewach buzuje woda i wraz ze smakowitymi substancjami zapasowymi płynie do pączków, ptaki wykuwają nieduże dziurki w cieńszych pniach i gałęziach. Wygląda to jak linia z punkcików, z których niczym z ran drzewo zaczyna krwawić. Krew drzewa nie wygląda dramatycznie, bo przypomina wodę. Mimo to dla drzewa utrata tego płynu ustrojowego jest tak samo niekorzystna jak dla nas, ludzi. Dzięcioły ją jednak uwielbiają i zaczynają wylizywać. Zasadniczo drzewo jest w stanie do pewnego stopnia sobie z tym poradzić, o ile dzięcioł nie przesadzi i nie zrobi zbyt wielu ranek, zwanych dzięciolimi batonami[*]. W miarę upływu lat goją się one i wyglądają jak blizny skaryfikacyjne.

---

[*] Nazwa wzięła się stąd, że wykuwane przez ptaka dziurki układają się w krótkie rządki w pionie lub poziomie.

Mszyce są o wiele bardziej leniwe niż dzięcioły. Zamiast pilnie się uwijać, robiąc dziurki tu i tam, przysysają się ryjkami do nerwów liści i igieł. I zaprawiają się tak, jak żadne inne zwierzę nie zdoła. Drzewna krew błyskawicznie przepływa przez maleńkie owady, które wydzielają ją z tyłu w formie dużych kropli. Mszyce muszą tak dużo pić, ponieważ sok zawiera bardzo mało białka – składnika pokarmowego niezbędnego do wzrostu i reprodukcji. Zwierzątka filtrują płyn pod kątem tego deficytowego elementu, a większą część węglowodanów, głównie cukier, wydalają niewykorzystaną. Nic dziwnego, że pod zasiedlonymi przez nie drzewami pada lepki deszcz. Być może zdarzyło wam się kiedyś tego doświadczyć, gdy zostawiliście samochód pod zaatakowanym klonem, a kiedy wróciliście, szyby były całe upaprane.

Każdy gatunek drzewa ma swoje własne, ściśle wyspecjalizowane pasożyty. Nic, tylko ssą i wydzielają – na jodłach (obiałka pędowa), świerkach (mszyca zielona świerkowa), dębach (filoksera dębówka) i na bukach (mszyca bukowa liściowa). A ponieważ nisza ekologiczna na liściach jest już zajęta, są inne gatunki, które mozolnie przewiercają się przez grubą korę, by dobrać się do położonych pod nią kanalików przewodzących soki. Mszyce żerujące na korze, na przykład mszyca wełnista na bukach, pokrywają całe pnie srebrnobiałym, wełnistym, woskowym nalotem. Dla drzewa jest to tym samym, co dla nas świerzb – powstają sączące się ranki, które nie chcą się goić i prowadzą do wytworzenia się pokrytej strupami, chropowatej kory. Czasami tą drogą do wnętrza drzewa wnikają grzyby i bakterie, dodatkowo osłabiając je tak mocno, że umiera. Nic dziwnego, że próbuje się bronić przed zarazą poprzez produkcję substancji obronnych. Jeżeli nie uda mu się w ten sposób przerwać ataku szkodników, to pomaga wytworzenie grubszej korowiny, co pozwala wreszcie strzepnąć mszyce. I przynajmniej przez kilka lat chroni drzewo przed kolejnym porażeniem. Możliwa infekcja nie jest tu jedynym problemem. Apetyt mszyc powoduje gigantyczne straty składników pokarmowych. Na kilometr kwadratowy lasu małe szkodniki są w stanie upuścić z drzew setki ton cukrów – cukrów, których potem, w nadchodzącym roku, zabraknie do wzrostu albo jako rezerwy pokarmowej.

Dla wielu zwierząt mszyce są jednak błogosławieństwem. Przede wszystkim czerpią z nich korzyści inne owady, takie jak biedronki, które ze smakiem unicestwiają jedną mszycę po drugiej. Leśne mrówki zaś uwielbiają słodki sok i spijają go bezpośrednio z mszycowych zadków. Łaskoczą je po nich czułkami, chcąc przyspieszyć proces wydzielania soku, bo drażnienie tych okolic zmusza mszycę do oddania moczu. Mrówki otaczają też te owady ochroną, by żaden inny drapieżca nie wpadł na pomysł bezceremonialnego spożycia tak cennych kolonii. W górze, w koronach drzew, mamy po prostu do czynienia z regularną hodowlą drobnych zwierząt. A to, czego mrówki nie zdołają spożytkować, nie idzie bynajmniej na marne. Słodki film pokrywający rośliny wokół porażonego drzewa jest szybko zasiedlany przez grzyby i bakterie. Zabarwia się przy tym na kolor czarnej pleśni.

Nasze pszczoły miodne także zresztą wykorzystują fekalia mszyc. Wsysają słodkie krople, transportują je do ula, tam zwracają i przerabiają na ciemny miód spadziowy. Jest wyjątkowo poszukiwany przez klientów, choć nie ma absolutnie nic wspólnego z kwiatami.

Pryszczarkowate i galasówkowate postępują w bardziej wyrafinowany sposób. Zamiast nakłuwać liście, przeprogramowują je. W tym celu dorosłe owady składają jaja w liściach buków lub dębów. Wykluwające się larwy zaczynają je pożerać, a za sprawą związków chemicznych zawartych w ich ślinie z liścia zaczyna wyrastać ochronna osłona. Może być podługowata (buk) lub okrągła (dąb), w jej wnętrzu owadziemu potomstwu nie grożą drapieżniki i może spokojnie zajmować się konsumpcją. Jesienią galasy odpadają od liści razem ze swymi lokatorami, którzy się przepoczwarzają i wczesną wiosną wyklują. Szczególnie buki są narażone na masowe porażenia, samym drzewom nie czynią one jednak wielkiej szkody.

Gąsienice motyli upodobały sobie za to nie cukrowy sok, tylko całe liście i igły. Pojedyncze okazy drzew tym się nie przejmują, ale w regularnych cyklach dochodzi do masowego rozmnożenia owadów. Coś takiego przeżyłem przed kilku laty w pewnej dąbrowie w moim rewirze. Był czerwiec, gdy z przerażeniem zobaczyłem drzewa rosnące na stromym, południowym zboczu góry. Ich świeżo wyrosłe listowie niemal zupełnie zniknęło, las stał przede mną nagi jak w zimie. Gdy wysiadłem z dżipa, usłyszałem głośny szum jak podczas gwałtownej ulewy w czasie burzy. Jednak przyczyną na pewno nie była pogoda ani jaskrawobłękitne niebo. Nie, to był kał milionów gąsienic zwójki zieloneczki, który tysiącem czarnych kuleczek spadał mi na głowę i ramiona – fuj! Coś podobnego można obserwować rokrocznie w wielkich lasach sosnowych na wschodzie i północy Niemiec. Masowym rozmnożeniom takich gatunków motyli, jak brudnica mniszka

czy poproch cetyniak, sprzyja monotonia lasów gospodarczych. Przeważnie w późniejszym czasie pojawiają się choroby wirusowe, przez co populacje ponownie się załamują.

Pasza dla gąsienic kończy się w czerwcu wraz z ogoło-
ceniem koron, drzewa zaś mobilizują ostatnie rezerwy, by
jeszcze raz wypuścić liście. Zwykle całkiem nieźle to się udaje, więc już parę tygodni później śladu nie ma po ataku żar-
łocznych stworzeń. Jednak ogranicza to wzrost drzew, co
później można odczytać w drewnie po wyjątkowo cienkim
słoju rocznym. Ale gdy porażenie drzew i kompletne pozbawienie ich liści następuje przez kolejne dwa lub trzy lata,
wówczas wiele z nich umiera z osłabienia. W wypadku sosen oprócz motyli swoje trzy grosze wtrącają borecznikowate.
Samczyk tej błonkówki ma czułki przypominające kosmate
różki, ale dla drzew decydujące znaczenie ma apetyt larw –
w ich mordkach znika do dwunastu igieł dziennie, co szybko oznacza poważne zagrożenie dla sosen.

W rozdziale *Język drzew* opisałem już, jak drzewa za pomocą substancji zapachowych przywołują owady z rodziny
gąsienicznikowatych oraz innych drapieżców, by pozbyć się
plagi. Istnieje też jeszcze inna strategia, jak widać na przykładzie czereśni. Na jej liściach znajdują się miodniki, z których
wydziela się taki sam słodki nektar jak z kwiatów. W tym
przypadku przewidziany on jest dla mrówek, które spędzają
tutaj większość lata. A owady te – tak jak i my – lubią czasem
przegryźć coś konkretnego, nie tylko same słodycze. Solidną
przekąskę zapewniają więc sobie w postaci gąsienic, uwal-
niając w ten sposób czereśnię od nieproszonych gości. Nie
zawsze jednak działa to tak, jak drzewo by sobie życzyło. Motyli przychówek ulega wprawdzie zniszczeniu, ale mrówkom

czasem wyraźnie nie wystarcza oferowana ilość słodkiego soku i zaczynają hodować mszyce. Owady nagryzają liście i po połaskotaniu czułkami oddają mrówkom w kroplach zawierający cukier sok.

Siejące postrach korniki idą w zasadzie na całość. Wyszukują osłabione drzewa i próbują je zasiedlić. Rządzi tu jedna zasada: „wszystko albo nic". Gdy atak pojedynczego chrząszcza się powiedzie, wtedy sygnałem zapachowym wzywa setki kolegów, którzy zabijają pień. Jeśli jednak pierwszy wgryzający się w drzewo owad zostaje przez nie zabity, imprezę z poczęstunkiem uważa się za odwołaną. Obiektem pożądania jest miazga, przezroczysta warstwa twórcza pomiędzy korą a drewnem. Tu właśnie drzewo rośnie, wykształcając do wewnątrz komórki drewna i na zewnątrz komórki kory. Miazga jest soczysta i pełno w niej cukrów oraz składników mineralnych. Nawet dla ludzi stanowi rodzaj pożywienia w ciężkich czasach, o czym sami możecie się wiosną przekonać. Jeśli znajdziecie świeżo powalony wichurą świerk, oderwijcie scyzorykiem kawałek kory. Następnie przejedźcie ostrzem płasko wzdłuż pnia, oddzierając centymetrowej szerokości pasy. Miazga smakuje jak marchewka o lekkim żywicznym posmaku i jest bardzo odżywcza. Korniki są tego samego zdania i dlatego drążą korytarze w korze, by złożyć jaja blisko tego źródła energii. Tu larwy, schroniwszy się przed wrogami, mogą się objadać i tęgo przybierać na wadze. Zdrowe świerki bronią się terpenami i substancjami fenolowymi, które potrafią nawet zabić chrząszcze. A jeśli to się nie uda, zaklejają owady kroplami żywicy. Jednakże badacze w Szwecji odkryli, że chrząszcze zdążyły się już uzbroić. Raz jeszcze chodzi o grzyby, które znajdują się na ciele zwierząt i niejako w ich orszaku dostają się pod korę podczas drążenia korytarzy. Tu osłabiają działanie chemicznej broni świerków i zamieniają je w nieszkodliwe substancje. A ponieważ grzyby rosną szybciej, niż wiercą korniki, to zawsze je o krok wyprzedzają. Dlatego korniki wchodzą już na odtruty teren i mogą żerować bez obaw[33]. Nic nie stoi na przeszkodzie ich masowemu rozmnożeniu, a tysiące wykluwających się młodych chrząszczy mogą następnie zaatakować nawet zdrowe drzewa. Wiele świerków nie przetrzyma takiej zmasowanej napaści.

Wielcy roślinożercy się tak nie patyczkują. Codziennie potrzebują wielu kilogramów paszy, w głębi lasu zaś to dobro deficytowe. Wskutek braku światła ledwie co się zieleni na ziemi, a soczyste liście wysoko w koronach drzew są nieosiągalne. Dlatego też naturalną koleją rzeczy niewiele jest w tym ekosystemie saren i jeleni. Ich szansa jednak nadchodzi, gdy na ziemię zwali się jakieś stare drzewo. Przez kilka lat do ziemi dociera światło, a obok małych drzewek przez krótki czas mogą tam rosnąć zioła i trawy. Zwierzęta rzucają się na te zielone wysepki i szybko przystrzygają rozwijające się rośliny. Wraz ze światłem pojawia się cukier, a to zwiększa atrakcyjność drzewnego przychówku. W normalnych warunkach, w półmroku pod drzewami rodzicielskimi, ich małe, liche pączki niemal nie zawierają składników pokarmowych. Tę odrobinę, której potrzebują do przeżycia w trybie oczekiwania, dostają od rodziców przez pompę korzeniową. Brak cukru powoduje, że pączki są gorzkie i łykowate, tak że każda sarna starannie je omija. Gdy jednak do młodych drzewek dojdzie słońce, wówczas po prostu rozkwitają. Rusza fotosynteza, liście stają się mocniejsze i soczystsze, a pączki, które zawiązują się latem z myślą o przyszłej wiośnie, są grube i szalenie odżywcze. Muszą być takie, bo drzewna młodzież chce teraz dodać gazu i wystrzelić w górę, zanim okno świetlne na powrót się zamknie. Jednak ta nagła werwa zwraca uwagę saren, które nie przepuszczą okazji do zdobycia smacznych kąsków. I tak rozpoczyna się kilkuletni wyścig między drzewnym potomstwem a zwierzętami. Czy buczki, dębczaki lub jodełki potrafią tak żwawo rosnąć, by zwierzęce pyski nie zdołały się dobrać do ważnego pędu szczytowego? Zwykle kilka drzewek w małej grupce zostaje oszczędzonych, zawsze więc parę okazów może bez szwanku piąć się wzwyż. Jednak te, którym nadżarto główny pęd, rosną odtąd krzywe i powyginane. Prędko zostaną przerośnięte przez nieuszkodzone siewki, umrą w końcu z braku światła i obrócą się w próchnicę.

Wielkimi drapieżnikami z uwagi na rozmiary są opieńki, których nieszkodliwie wyglądające owocniki często pojawiają się jesienią na pniakach. Jednak siedem rodzimych gatunków opieńki, trudno od siebie odróżnialnych, nie jest bynajmniej przyjaciółmi drzew. Wręcz przeciwnie – za pomocą grzybni, podziemnych białych wypustek, przenikają do korzeni świerków, buków, dębów i innych gatunków drzew. Następnie rosną pod korą w górę pnia i wykształcają tam wachlarzowate białe struktury. Zrabowane dobra, czyli przede wszystkim cukry i składniki odżywcze z miazgi twórczej (najbardziej wewnętrznej warstwy kory), są odtransportowywane poprzez grube włókna. Te przypominające korzenie czarne sznury stanowią osobliwość w królestwie grzybów. Opieńki wszakże nie zadowalają się słodkimi substancjami, lecz w następnej kolejności pożerają również drewno, przez co ich gospodarz zaczyna gnić. I na zakończenie całego procesu ostatecznie umiera.

Korzeniówka pospolita, gatunek rośliny zaliczany do wrzosowatych, postępuje o wiele bardziej subtelnie. Nie posiada ani odrobiny zieleni i wyrasta tylko po to, by wykształcić niepozorny, jasnobrązowy kwiatek. Roślina, która nie jest zielona, nie zawiera chlorofilu (zielonego barwnika), a tym samym nie może prowadzić fotosyntezy. Korzeniówka jest więc zdana na pomoc zewnętrzną. Podszywa się pod grzyby mikoryzowe – pomocników korzeni drzew – a ponieważ nie potrzebuje światła, odpowiadają jej nawet najciemniejsze drzewostany świerkowe. Tam podłącza się pod strumienie składników pokarmowych płynących między grzybami a drzewami i zabiera sobie porcyjkę. Podobnie, choć z odrobinę mniejszą perfidią, postępuje pszeniec leśny. Również uwielbia świerki i podpina się do systemu korzeniowo-grzybowego, by nieproszony wziąć udział w uczcie. Jego nadziemne części są przynajmniej zielone w typowy dla roślin sposób i rzeczywiście mogą przekształcić trochę światła i CO_2 w cukier. Tyle że to jednak marne alibi.

Ale drzewa oferują znacznie więcej niż tylko pożywienie. Młode okazy są wykorzystywane przez zwierzęta jako mechaniczne drapaki. Samce saren i jeleni muszą uwolnić odbudowujące się corocznie poroże od skóry zwanej scypułem. W tym celu wyszukują sobie drzewko, które jest na tyle grube, że się łatwo nie złamie, ale jednocześnie odpowiednio elastyczne. Przy nim panowie stworzenia szaleją całymi dniami, póki nie zedrą sobie z rogów ostatnich strzępów swędzącej skóry. Kora drzewek też już jest zdarta, więc później drzewka często obumierają. W wyborze drzewa sarny i jelenie stawiają na rzadkie gatunki. Decydują się zawsze na takie, które stanowią lokalną rzadkość, czy będzie to świerk, buk, jodła czy dąb. Kto wie, może zapach zdartej kory działa na nie jak egzotyczne perfumy. U nas w końcu sprawa wygląda podobnie – to, co rzadkie, budzi gorące pożądanie.

Zabawa jednak się kończy, gdy średnica pnia wynosi co najmniej dziesięć centymetrów. U większości gatunków drzew kora jest już wtedy na tyle gruba, że stawia opór rozbuchanym właścicielom poroża. Do tego drzewa są wtedy na tyle stabilne, że nie sprężynują i nie mieszczą się między rogami. Ale jelenie żywią też inną potrzebę. W normalnych warunkach w ogóle nie żyłyby w lasach, gdyż jako pokarmu potrzebują głównie trawy. Ta wszakże jest absolutną rzadkością w lasach naturalnych, ponadto raczej nie występuje w ilościach wystarczających dla całego stada i dlatego te majestatyczne zwierzęta wolą żyć na terenach bezdrzewnych. Ale w dolinach rzek, gdzie wskutek powodzi ciągle tworzą się otwarte pastwiska, mieszkamy już my, ludzie. Każdy metr kwadratowy jest wykorzystany albo pod budowę miast, albo pod rolnictwo. Z tego powodu jelenie wycofały się do lasu, który opuszczają co najwyżej nocą. Jednakże jako typowi roślinożercy potrzebują przez całą dobę paszy bogatej w błonnik. Gdy nie ma jej skąd wziąć, uciekają się w potrzebie do obgryzania kory drzew. Latem, gdy są one pełne wody, ich skóra łatwo się oddziera. Zwierzęta wgryzają się w nią siekaczami (znajdującymi się tylko w dolnej szczęce) i odrywają całe pasma z dołu do góry. Zimą, gdy drzewa śpią i kora jest sucha, udaje im się wyszarpywać tylko małe strzępki. Tak czy owak takie praktyki są dla drzewa nie tylko niezwykle bolesne, ale nawet groźne dla życia.

Przez ogromne otwarte rany wnikają przecież na dużej powierzchni grzyby i niszczą drewno. Szybkie zarośnięcie rany jest z uwagi na jej spory rozmiar niemożliwe. Jeśli drzewo dorastało w warunkach lasu pierwotnego, czyli należycie wolno, samo się upora nawet z tak gwałtownymi ciosami. W jego drewnie występują tylko wąziuteńkie słoje roczne, jest żylaste i zbite, a to szalenie utrudnia zadanie grzybom. Nierzadko widywałem takich drzewnych młodziaków, którzy po dziesiątkach lat jeszcze dawali radę i zasklepiali rany. W wypadku sztucznie sadzonych drzew naszych lasów gospodarczych rzecz ma się jednak inaczej. Z reguły rosną one bardzo szybko, wykazują szerokie słoje roczne, a ich drewno zawiera przez to sporo powietrza. Powietrze i wilgoć – idealne warunki dla grzybów. I tak przychodzi to, co przyjść musiało – uszkodzone drzewo już w średnim wieku się łamie. Bez trwałych konsekwencji zdrowotnych potrafi zaleczyć jedynie o wiele mniejsze rany po zimie.

BUDOWNICTWO SOCJALNE

Nawet gdy drzewa są już za grube, by odpowiadać celom opisanym do tej pory, zwierzęta żwawo wykorzystują je nadal. Olbrzymy mogą stać się pożądanym lokum, jednak tej usługi nie oferują dobrowolnie. Gruby pień starych okazów cieszy się bowiem uznaniem wśród ptaków, łasicowatych i nietoperzy. Jego odpowiednio solidne ściany wyjątkowo dobrze izolują od upału i zimna. Pierwszy pojawia się zwykle dzięcioł – duży lub czarny. Wykuwa dziurę w pniu, zresztą głęboką tylko na parę centymetrów. W przeciwieństwie do szeroko rozpowszechnionego mniemania, jakoby ptaki budowały gniazda wyłącznie w spróchniałych drzewach, wyszukują one sobie często zdrowe okazy na ten cel. A wy wprowadzilibyście się do domu grożącego zawaleniem, gdybyście mogli obok postawić nowy budynek? Dzięcioły też chcą, by ich dziuple lęgowe były trwałe i stabilne. A chociaż porządnie i mocno walą dziobami w zdrowe drewno, to jednak szybkie ukończenie pracy byłoby ponad ich siły. Z tego powodu po tym pierwszym etapie robią sobie przerwę na wiele miesięcy i liczą na pomoc grzybów. Dla nich to mile widziane zaproszenie, bo normalnie nie potrafią przeniknąć przez korę. W takim jednak układzie szybko zasiedlają otwór i zaczynają rozkładać drewno. Dla drzewa to atak z dwóch stron, dla dzięcioła natomiast podział pracy. Po pewnym czasie włókna są już na tyle zmurszałe, że dalsza budowa gniazda idzie o wiele łatwiej. Pewnego dnia robota skończona i do dziupli można się wprowadzić. Dzięciołowi czarnemu, ptakowi wielkości gawrona, to jednak nie wystarcza i wykuwa jednocześnie kilka dziupli. W jednej wysiaduje jaja, w drugiej śpi, inne zaspokajają potrzebę chwilowej odmiany. Ptak co roku odnawia dziuple, o czym możecie się przekonać, widząc wióry u podnóża drzew. Remont jest konieczny, bo raz zagnieżdżonych grzybów nie można zatrzymać. Wżerają się coraz głębiej w pień, zmieniając drewno w mokre próchno, w którym nie da się wysiedzieć piskląt. Gdy dzięcioł wywali już to paskudztwo, dziupla robi się nieco większa. W końcu jest już za duża, a przede wszystkim za głęboka dla ptasiego przychówku, który przecież musi wydrapać się do wejścia, żeby wzbić się do pierwszego lotu. Najpóźniej w tym momencie do akcji wkraczają kolejni najemcy. To gatunki, które same nie potrafią budować w drewnie. Na przykład kowalik, podobny do dzięcioła, ale mniejszy ptaszek, który tak jak on dłubie w martwym drewnie w poszukiwaniu larw chrząszczy. Chętnie buduje gniazda w starych dzięciolich dziuplach. Ma przy tym jednak pewien problem. Przez o wiele dla niego za duży otwór mogą przedostać się jego wrogowie i porwać pisklęta. By temu zapobiec, zmniejsza wejście do dziupli za pomocą gliny, którą artystycznie wylepia brzegi. *À propos* wrogów – drzewa mimowolnie oferują swym podnajemcom usługę specjalną, która wynika z właściwości drewna. Włókno drzewne wyjątkowo dobrze przewodzi dźwięk i właśnie dlatego buduje się z niego instrumenty muzyczne, takie jak skrzypce czy gitary. Dzięki prostemu eksperymentowi sami możecie sprawdzić, jak takie przewodnictwo wygląda. Przyłóżcie ucho do cieńszego końca ściętego, długiego pnia i poproście kogoś, by leciutko i ostrożnie postukał albo poskrobał kamyczkiem w grubszy koniec. Przez pień słychać te odgłosy ze zdumiewającą wyrazistością, ale gdy odsuniecie głowę, natychmiast jest cicho. Z tej właściwości drewna korzystają ptaki w dziuplach – jest to ich system alarmowy. W tym wypadku nie chodzi oczywiście o niewinne stukanie, lecz o odgłosy wywoływane przez pazury łasicy czy wiewiórki. Słychać je wysoko w górze drzewa, a ptaki zyskują szansę ucieczki. Jeśli w gnieździe są pisklęta, to mogą przynajmniej spróbować odwrócić uwagę napastnika, co jednak często się nie udaje. Ale wtedy chociaż rodzice pozostają przy życiu i mogą powetować sobie stratę drugim lęgiem.

Nietoperze mniej ta sprawa interesuje, bo mają zupełnie inne zmartwienia. Te nieduże ssaki potrzebują wielu dziupli naraz, by wychować młode. U nocków Bechsteina tworzą się grupki samiczek, które wspólnie wychowują potomstwo. Ledwie rozgoszczą się w jednej kwaterze, a już po paru dniach trzeba się przeprowadzać do następnej. Powodem są pasożyty. Gdyby nietoperze mieszkały przez cały sezon w tej samej dziupli, wówczas szkodniki rozmnożyłyby się błyskawicznie i zadręczyły, gryząc do krwi, skrzydlatych nocnych

myśliwych. Przeprowadzki w krótkich odstępach czasu zapobiegają temu, bo pasożyty po prostu zostają z tyłu.

Sowy nie wcisną się tak od razu do dzięciolich dziupli
i dlatego muszą cierpliwie odczekać parę lat. W tym czasie
drzewo coraz bardziej butwieje i czasami pień się przy tym
coraz bardziej rozchyla, tak że wejście do dziupli robi się
większe. Często też proces ten przyspieszają tak zwane dzię-
ciole flety. Chodzi tu o mieszkania dzięciołów na kolejnych
„piętrach", czyli dziuple leżące jedna nad drugą. Za sprawą
procesów gnilnych powoli łączą się one ze sobą i w pewnym
momencie są już odpowiednio duże dla puszczyka zwyczajnego i spółki.

A drzewo? Rozpaczliwie stara się bronić. Właściwie i tak
jest już za późno na walkę z grzybami, bo przed nimi już od
wielu lat drzwi stoją otworem. Może jednak znacznie prze-
dłużyć swoje życie, jeśli uda mu się zasklepić przynajmniej
zewnętrzne rany. Gdy to się powiedzie, wówczas wprawdzie
butwieje od środka, ale mimo to zachowuje stabilność niczym pusta stalowa rura i może przeżyć jeszcze ponad sto lat.
Podjęte środki naprawcze możecie rozpoznać po obrzmie-
niach wokół dzięciolich dziupli. Bardzo rzadko drzewu udaje się stopniowo zasklepić wejścia. Przeważnie budowniczy
bez litości na powrót odkuwa świeże drewno.

Przegniły pień staje się ojczyzną złożonych biocenoz. Osiedlają się w nim na przykład kartonówki zwyczajne, mrówki
toczące zmurszałe drewno i budujące z niego gniazda o ścian-
kach jakby z kartonu. Ścianki te nasycają miodową rosą, czyli
cukrowymi wydzielinami mszyc. Na tej pożywce bujnie rosną
grzyby, które swą grzybnią stabilizują gniazdo. Niezliczone
gatunki chrząszczy żywią się próchnem, murszejącym materiałem we wnętrzu dziupli. Ponieważ ich larwy długo się

rozwijają, potrzebują stabilnych warunków przez długi czas, czyli drzew, które obumierają przez dziesiątki lat i tym samym gwarantują długie trwanie. Z tego powodu dziuple pozostają atrakcyjne dla grzybów i innych owadów, które dbają o to, by z góry stale sypał się na próchno deszcz odchodów i trocin. Odchody nietoperzy oraz sów i popielic również spadają w ciemną otchłań. W ten sposób próchno ma stały dopływ składników odżywczych, którymi odżywia się na przykład chrząszcz *Ischnodes sanguinicollis* z rodziny sprężyków[34]. Albo larwy pachnicy dębowej, czarnego chrząszcza mierzącego do czterech centymetrów. Pachnica jest okropnie nieruchawa i najchętniej spędza całe życie u stóp przegniłego pnia w ciemnościach dziupli. A ponieważ ledwie lata czy biega, wiele pokoleń jednej rodziny może przez dekady żyć w tym samym drzewie. Widać teraz jasno, dlaczego taką ważną rzeczą jest zachowanie starych drzew. Gdyby je usunąć, wówczas czarna ferajna nie przejdzie tych paru kilometrów do następnego drzewa, bo po prostu opadnie z sił.

Nawet jeśli drzewo pewnego dnia musi zrezygnować z walki i ulega burzy, to i tak oddało społeczności cenne usługi. Nie zbadano jeszcze w pełni wszystkich związków, ale wiadomo przynajmniej tyle, że zwiększenie różnorodności gatunkowej lasu oznacza jednocześnie stabilizację ekosystemu. Im więcej gatunków włącza się do gry, tym rzadziej pojedynczy gatunek może rozprzestrzeniać się kosztem innego, gdyż zawsze od razu wyrasta kolejny rywal. I nawet szczątki drzewa samą swą obecnością mogą jeszcze walnie się przyczynić do utrzymania odpowiedniej gospodarki wodnej żyjących drzew, jak to widzieliśmy w rozdziale *Klimatyzacja z drewna*.

OSTOJE BIORÓŻNORODNOŚCI

Większość zwierząt związanych z drzewami bynajmniej ich nie krzywdzi. Wykorzystują one pnie lub korony jedynie jako szczególną przestrzeń życiową, która za sprawą rozmaitych stref wilgoci i warunków świetlnych tworzy niewielkie nisze ekologiczne. Tu niezliczone wyspecjalizowane gatunki znajdują swój dom. Zwłaszcza górne piętra lasu są bardzo słabo zbadane, ponieważ naukowcy mogą prowadzić tam badania wyłącznie za pomocą drogich, przemyślnie skonstruowanych żurawi czy wież. Chęć ograniczenia wydatków skłania czasem do stosowania brutalnych metod. Tak na przykład przed kilku laty dr Martin Goßner, dendrolog, poddał opryskowi najpotężniejsze, bo mierzące pięćdziesiąt dwa metry wzrostu, grube na dwa metry i najstarsze, bo sześćsetletnie, drzewo w Parku Narodowym Lasu Bawarskiego. Użyty środek, pyretrum, jest insektycydem, który spowodował, że wszystkie pająki i owady żyjące w jego koronie spadły martwe na ziemię. Tak czy owak wykazano w ten sposób naocznie, jakie bogactwo gatunków mieszka tam, w górze. Badacze naliczyli dwa tysiące czterdzieści jeden zwierząt należących do dwustu pięćdziesięciu siedmiu gatunków[35].

W koronach drzew można znaleźć nawet specjalne wilgotne biotopy. Jeśli pień rozdziela się widlasto na dwie odnogi, w miejscu rozwidlenia zbiera się deszczówka. Takie malutkie stawki są siedliskiem larw muszych, które są pokarmem rzadkich gatunków chrząszczy. W trudniejszym położeniu są zwierzęta, gdy opady zbierają się w dziuplach. Jest tam ciemno, a gnijąca i mętna breja zawiera bardzo mało tlenu. Larwy rozwijające się w wodzie nie mogą w takich warunkach oddychać. No chyba że mają rurkę oddechową jak potomstwo trzmielówek łąkowych. Mogą ją wysuwać teleskopowo i w ten sposób przetrwać w mikroskopijnych wodach. Poza bakteriami nic tam właściwie nie występuje, więc larwy prawdopodobnie odżywiają się właśnie nimi[36].

Nie każde drzewo zostanie wybrane przez dzięcioły na budowę dziupli i w którymś momencie do cna zbutwieje, bynajmniej nie wszystkie trawi choroba, zapewniając w ten sposób wielu wyspecjalizowanym gatunkom szczególną przestrzeń życiową. Wiele okazów kończy swe życie gwałtownie, czy to za sprawą burzy powalającej potężne pnie, czy też korników zdolnych w ciągu kilku tygodni zniszczyć korę i doprowadzić liście do uschnięcia. Ekosystem drzewa zmienia się wówczas dogłębnie. Zwierzęta i grzyby, które są zdane na stałe zaopatrzenie w wilgoć przez drzewne naczynia bądź dostawę cukrów z korony, muszą porzucić truchło lub umrzeć razem z nim. Maleńki świat przestał istnieć. A może dopiero rozpoczął swe życie?

„A gdy odchodzę, odchodzi tylko cząstka mnie" – to zdanie z przeboju Petera Maffaya* mogłoby napisać jakieś drzewo. Jego martwe ciało jest bowiem niezastąpione w leśnym krwiobiegu. Przez całe stulecia ciągnęło z gleby składniki pokarmowe, magazynowało je w drewnie i korze i teraz stanowi nieoceniony skarb dla swych dzieci. Ale nie dostaną się do tych rarytasów tak po prostu. Potrzebują pomocy innych organizmów. Gdy tylko złamany pień obali się na ziemię, na nim i na korzeniach rozpoczyna się kulinarna sztafeta tysięcy gatunków grzybów oraz owadów. Każdy z nich wyspecjalizował się w innym stadium rozkładu, a nawet w poszczególnych częściach martwego drzewa. Z tego powodu gatunki te nigdy nie mogą zagrozić żywym drzewom – są one dla nich zbyt świeże. Cudowny przysmak widzą za to w spróchniałych włóknach drewna, nadgniłych i wilgotnych komórkach. Nie szczędzą czasu na posiłki ani w ogóle na cały swój rozwój, jak demonstruje przykład jelonka rogacza. Jako dorosły owad żyje on tylko kilka tygodni, po to by się rozmnożyć. Większość czasu spędza jako larwa, która powoli przegryza się przez murszejące korzenie martwego drzewa liściastego. Na to, by pewnego dnia móc się przepoczwarzyć jako gruba i tłusta larwa, potrzebuje do ośmiu lat.

Co najmniej tak samo powolne są huby. Ich niemiecka nazwa ludowa brzmi w dosłownym tłumaczeniu „grzyby konsolowe" (*Konsolenpilze*), bo tkwią jak półka w kształcie połówki talerza na obumarłym pniu. Reprezentantem hub

---

* Popularny od lat siedemdziesiątych piosenkarz niemiecki, autor wielu szlagierów.

jest pniarek obrzeżony. Żywi się białymi włóknami celulozy drewna, a posiliwszy się, zostawia brązowe, kruszące się kostki. Jego owocnik, wspomniana połówka talerza, zawsze przykleja się do pnia idealnie w poziomie. Tylko tak zyskuje gwarancję, że z rureczek na dolnej stronie owocnika będą mogły się wysypać zarodniki i się rozmnoży. Gdy pewnego dnia zmurszały pień się przewróci, wówczas grzyb zasklepia rureczki i dalej rośnie skośnie w stosunku do dotychczasowego owocnika, by wytworzyć nowy, poziomy talerz.

Między niektórymi grzybami toczy się zażarta walka o tereny żerowania, co można zaobserwować na przepiłowanych martwych pniach. Uwidaczniają się tu marmurkowe struktury z jaśniejszej i ciemniejszej tkanki, ostro oddzielone od siebie czarnymi liniami. Zróżnicowane odcienie barw są dziełem różnych gatunków grzybów, które przerabiają drewno. Separują swoje terytorium od innych gatunków ciemnymi, nieprzepuszczalnymi polimerami, tworzącymi w naszych oczach linie walki.

Łącznie jedna piąta wszystkich gatunków zwierząt i grzybów jest zależna od martwego drewna, co daje liczbę mniej więcej sześć tysięcy do tej pory znanych gatunków[37].

Ich użyteczność polega na opisanym recyklingu składników pokarmowych, ale czy mogą stać się niebezpieczne dla lasu? W końcu mogłyby wpaść na pomysł, by w braku martwego drewna zacząć po prostu konsumować żyjące drzewa. Ciągle słyszę te obawy wypowiadane przez odwiedzających las, a czasem jeden czy drugi właściciel prywatnego lasu usuwa z tego powodu każdy obumarły pień. Jest to jednak zbyteczne. Przy takich działaniach niszczy się tylko niepotrzebnie wartościowe przestrzenie życiowe różnych organizmów, bo mieszkańcy martwego drewna nie wiedzieliby, co począć z żywymi drzewami. Ich drewno nie jest spróchniałe, jest o wiele za wilgotne i zawiera za dużo cukru. Abstrahując już od tego, buki, dęby czy świerki energicznie się bronią przed zasiedleniem. Zdrowe drzewa na ich naturalnym obszarze występowania przetrzymają niemal każdy atak, jeśli są dobrze odżywione. A do tego właśnie przyczynia się armada małych paskud, jak długo tylko może znaleźć podstawę egzystencji. Czasem martwe drewno zyskuje nawet bezpośrednie znaczenie dla drzew, bo leżący pień staje się kolebką ich własnych latorośli. Na przykład siewki świerków kiełkują wyjątkowo dobrze na martwym ciele swych rodziców, co przez niemiecką naukę jest mocno nieapetycznie określane mianem „odnowy na zwłokach"*. Miękkie, zbutwiałe drewno znakomicie magazynuje wodę, część zaś zawartych w nim składników pokarmowych uwolniły już grzyby i owady. Pojawia się tylko maleńki problem – pień jako gleba zastępcza nie jest rozwiązaniem trwałym, lecz ulega coraz głębszemu rozkładowi, póki pewnego dnia nie obróci się całkowicie w próchnicę i nie zniknie w ziemi. Co wówczas się stanie z drzewkami? Ich korzenie będą stopniowo odsłaniane i utracą przy tym zakotwiczenie w glebie. Jednakże proces ten trwa wiele dziesiątków lat i korzenie podążają za rozkładającym się drewnem w głąb ziemi. Pień w ten sposób wyrosłych świerków stoi w końcu na szczudłach, których wysokość wskazuje na średnicę niegdysiejszego powalonego drzewa rodzicielskiego.

---

* Polska terminologia wywodzi się zaś z krańcowo przeciwnego kręgu skojarzeń, gdyż obumarły pień, na którym wzrastają młode drzewka, nosi nazwę kłody-piastunki.

SEN ZIMOWY

Późnym latem w lasach panuje dziwny nastrój. Korony drzew zamieniły bujną zieleń na wyblakłą zieleń zmieszaną z żółcią. Wydaje się, że coraz więcej drzew ogarnia zmęczenie i wyczerpane czekają na koniec forsownego sezonu. Podobnie jak u nas – po pracowitym dniu należy się odpoczynek.

Niedźwiedzie brunatne zapadają w sen zimowy, orzesznice też to czynią, ale drzewa? Czy u nich w ogóle istnieje coś takiego jak odpoczynek, porównywalny do naszych nocnych przerw? Niedźwiedź brunatny nadaje się bardzo dobrze do celów porównawczych, bo stosuje podobną strategię. Latem i wczesną jesienią obżera się, żeby wyhodować sobie grubą warstwę tłuszczu i czerpać z niej zimą. Tak samo robią nasze gatunki drzew. Naturalnie, nie opychają się jagodami czy łososiem, ale czerpią garściami ze słońca i przy jego pomocy wytwarzają cukry i inne składniki rezerwowe. Ale również odkładają je pod skórą, dokładnie tak jak niedźwiedź. Nie mogą jednak utyć (to potrafią tylko ich kości, czyli drewno), napełniają więc tylko tkanki składnikami pokarmowymi. I w którymś momencie są już po prostu nasycone, nie tak jak niedźwiedź, który dalej pałaszuje, co mu w łapy wpadnie. Od sierpnia widać to zwłaszcza po czereśniach, jarzębinach czy brekiniach. Mimo że mogłyby jeszcze wykorzystać wiele pięknych, słonecznych dni aż do października, już zaczynają się przebarwiać na czerwono. Oznacza to, że na ten rok zamykają interes. Ich zbiorniki paliwa pod korą i w korzeniach są już pełne, a dodatkowej produkcji cukru nie byłoby gdzie zmieścić. I gdy niedźwiedź ochoczo futruje się dalej, te gatunki szykują się do snu. Większość innych gatunków ma najwyraźniej większe rezerwuary i chciwie oraz nieprzerwanie uprawia fotosyntezę aż do pierwszych silnych mrozów. Wtedy i one muszą przerwać i zawiesić wszelką aktywność. Jednym z powodów jest woda. Musi znajdować się w stanie ciekłym, żeby drzewo mogło funkcjonować. Jeśli „krew" zamarznie, to nic się nie uda. Wręcz przeciwnie – przemarznięte drewno może pęknąć, podobnie jak rura wodociągowa, gdy jest zbyt mokro. Dlatego większość gatunków już w lipcu stopniowo przykręca poziom wilgoci, a co za tym idzie – swej aktywności. Z dwóch powodów nie może się jednak w pełni przestawić na tryb gospodarki zimowej. Po pierwsze (o ile nie jesteśmy spokrewnieni z czereśnią) – należy wykorzystać ostatnie ciepłe dni późnego lata do tankowania paliwa, i po drugie – u większości gatunków drzew trzeba jeszcze odprowadzić składniki rezerwowe z liści do pnia i korzeni. Przede wszystkim barwnik zielony, czyli chlorofil, jest rozkładany na czynniki pierwsze, by następnej wiosny znowu można nim było w dużych ilościach zasilić nowe listowie. Gdy barwnik zostanie usunięty, pojawiają się żółte i brązowe tony, które już wcześniej były obecne w liściach. Tworzą się z karotenów i być może pełnią funkcję ostrzegawczą. Mszyce i inne owady szukają w tym czasie schronienia w szczelinach kory, by zapewnić sobie ochronę przed niskimi temperaturami. Zdrowe drzewa sygnalizują swoją gotowość do obrony podczas najbliższej wiosny, demonstrując intensywnie lśniące jesienne liście[38]. Dla potomstwa mszyc i spółki to złowróżbny znak, bo takie okazy potrafią wyjątkowo silnie odpowiedzieć trucizną. Z tego powodu owady wyszukują sobie słabsze, nie tak kolorowe egzemplarze.

Po co jednak w ogóle cały ten wysiłek? Wiele drzew iglastych pokazuje, że inaczej też można. Zachowują po prostu zielony przepych gałęzi i gwiżdżą na coroczną regenerację. Dla ochrony igieł przed przemarznięciem magazynują środki przeciwmrozowe. Drzewo chce zapobiec wyparowywaniu wody zimą, powleka więc powierzchnię igieł grubą warstwą wosku. Do tego ich skóra jest mocna i twarda, a małe szparki oddechowe są wyjątkowo głęboko zatopione w powierzchni igły. Wszystkie te środki razem wzięte skutecznie zapobiegają utracie wody. Byłoby to zresztą tragiczne, bo z zamarzniętej ziemi nie dopływa nowa woda, a więc drzewo by wyschło i mogłoby umrzeć z pragnienia.

Liść jest natomiast miękki i delikatny, czyli w praktyce bezbronny. Nic dziwnego, że buki i dęby spiesznie pozbywają się listowia przy pierwszych nadchodzących mrozach. Ale dlaczego właściwie te gatunki nie wykształciły w toku ewolucji równie grubej powłoki i środków przeciwmrozowych?

Czy to naprawdę jest rozsądne, by każdego roku wytwarzać na nowo do miliona liści na drzewie, wykorzystywać je tylko przez parę miesięcy, a potem znowu z mozołem ich się pozbywać? Ewolucja najwyraźniej odpowiedziała twierdząco na to pytanie, bo gdy przed mniej więcej stu milionami lat powstawały drzewa liściaste, drzewa iglaste żyły już na Ziemi od stu siedemdziesięciu milionów lat. Drzewa liściaste są więc stosunkowo nowoczesnym wynalazkiem. Ich zachowanie jesienią – gdy bliżej mu się przyjrzeć – jest faktycznie bardzo rozsądne. Ustępują przed przeważającą siłą – zimowymi zawieruchami. Gdy od października wieją one przez lasy, dla wielu drzew oznacza to walkę na śmierć i życie. Wiatry wiejące z prędkością ponad stu kilometrów na godzinę potrafią obalić duże okazy, a w niektórych latach wystarcza i sto kilometrów na godzinę powtarzane cyklicznie co tydzień. Jesienne deszcze mocno rozmiękczają glebę, wskutek czego korzenie ledwie się trzymają gąbczastej ziemi. Burza szarpie dorosłym drzewem z siłą odpowiadającą ciężarowi dwustu ton. Kto jest źle wyposażony, ten nie wytrzymuje i się przewraca. Jednak drzewa liściaste są dobrze przygotowane. Chcąc zyskać jeszcze bardziej opływowy kształt, zrzucają swe panele słoneczne. Tym sposobem znika ogromna powierzchnia zajmująca łącznie tysiąc dwieście metrów kwadratowych[39] i opada na leśną glebę. W przeliczeniu wygląda to tak, jakby żaglowiec o czterdziestometrowym maszcie zwinął swój główny żagiel o wymiarach trzydzieści na czterdzieści metrów.

To jednak jeszcze nie wszystko. Pień i gałęzie są tak uformowane, że współczynnik oporu powietrza bywa niższy niż dla nowoczesnego samochodu osobowego. Ponadto cała konstrukcja jest tak elastyczna, że amortyzuje siły gwałtownych porywów wiatru i rozprowadza je po drzewie. Wszystkie te środki sprawiają, że zimą drzewom liściastym niemal nic nie może się przytrafić. W wypadku wyjątkowo silnych orkanów, jakie zdarzają się tylko co pięć–dziesięć lat, drzewa znajdują oparcie w społeczności. Każdy pień jest inny, ma własną historię, a tym samym indywidualny przebieg włókien drzewnych. Oznacza to, że przy pierwszym podmuchu wiatru, który zgina jednocześnie wszystkie drzewa w tę samą stronę, każde z nich w innym tempie powróci do pierwotnej pozycji. Śmierć niosą im przeważnie kolejne porywy wichury, gdyż w samym środku gwałtownego wahnięcia nadchodzi następne – tylko tym razem przygina drzewo znacznie mocniej. Jednak w dziewiczym lesie wszyscy sobie pomagają. Gdy korony wracają do pozycji wyjściowej, uderzają o siebie, bo przecież każda z nich kołysze się we własnym rytmie. Gdy jedna wykonuje jeszcze ruch powrotny, druga już znowu gnie się do przodu. Dochodzi więc do miękkiego zderzenia, które wyhamowuje oba drzewa. Kiedy nadejdzie kolejne uderzenie wichury, one już prawie się zatrzymają i walka zacznie się od nowa. Przyglądanie się tańcowi koron – całej społeczności i poszczególnym jej członkom – jest niezmiennie fascynujące. Pomijając naturalnie fakt, że nie należy nikomu doradzać spacerowania po lesie podczas burzy.

Wróćmy do spadających liści. Każda zima, którą drzewa przetrwały, dowodzi, że wysiłek corocznej produkcji listowia jest rozsądną rzeczą. Jednak zima kryje w sobie jeszcze zupełnie inne niebezpieczeństwa. Na przykład opady śniegu. Ale gdy zniknie wspomniane tysiąc dwieście metrów kwadratowych powierzchni listowia, wówczas biała okrywa może zalec wyłącznie na gałęziach, a to znaczy, że większość przeleci na ziemię. Jeszcze większym ciężarem od śniegu może okazać się lód. Temperatury lekko poniżej zera, do tego nieszkodliwa mżawka, coś takiego przeżyłem przed kilku laty. Ta nietypowa pogoda trwała trzy dni, a ja z każdą godziną coraz bardziej bałem się o las. Opady w ułamku sekundy przymarzały do gałęzi i błyskawicznie je obciążały. Wyglądało to przepięknie – wszystkie drzewa spowite szklaną powłoką. Wszystkie zagajniki brzozowe były jednak przygięte i z bólem serca spisałem je w duchu na straty. W wypadku dorosłych drzew ucierpiały przede wszystkim drzewa iglaste, głównie daglezje i świerki, które straciły do dwóch trzecich zielonych gałęzi korony, łamiących się z głośnym trzaskiem. Ogromnie je to osłabiło i miną jeszcze dziesiątki lat, nim drzewa zdołają na powrót w pełni odbudować swoje korony.

Przygięte brzózki zdołały mnie jednak zaskoczyć – gdy po kilku dniach lód stopniał, dziewięćdziesiąt pięć procent drzewek się wyprostowało. Teraz, parę lat później, na brzozach nie widać śladów dawnych przejść. Oczywiście kilku z nich nie udało się podnieść. Obumarły, ich zmurszałe pnie w którymś momencie się połamały i powoli zmieniły w próchnicę.

Zrzucanie liści jest zatem skutecznym środkiem ochronnym, wprost idealnie dobranym do klimatu naszych szerokości geograficznych. A dodatkowo dla drzew to wreszcie okazja udania się do toalety. One również – podobnie jak my w ustronnym miejscu przed snem – pozbywają się zbędnych substancji, od których chciałyby się uwolnić. Spadają one później na ziemię w zrzucanych liściach. Pozbycie się listowia to aktywny proces, drzewo nie może wtedy jeszcze spać. Gdy składniki rezerwowe popłyną z powrotem do pnia, wytwarza on warstwę izolującą, która odcina połączenie z gałęziami. Teraz wystarczy nawet najlżejszy podmuch wiatru i liście zaczynają się osypywać. Dopiero wtedy drzewo może udać się na spoczynek. I rzeczywiście musi to uczynić, by wypocząć po trudach minionego sezonu. Pozbawienie drzewa snu ma podobne skutki jak dla nas, ludzi – stanowi zagrożenie dla życia. To powód, dla którego hodowane w doniczkach dęby czy buki nie mogą przetrwać w naszych mieszkaniach. Nie pozwalamy im odpocząć i przeważnie umierają jeszcze w ciągu pierwszego roku.

W wypadku drzewnej młodzieży, rosnącej w cieniu rodziców, daje się zauważyć kilka wyraźnych odstępstw od standardowej procedury zrzucania liści. Gdy drzewo rodzicielskie je traci, wówczas na ziemię raptownie dociera w obfitości słoneczne światło. Podrostki tylko na to czekają i w jasnym słońcu tankują mnóstwo energii. Przeważnie zaskakują je przy tym pierwsze mrozy. Jeżeli temperatury od razu spadają zdecydowanie poniżej zera, na przykład w nocy poniżej minus pięciu stopni, to wszystkie drzewa, chcąc nie chcąc, czują się zmęczone i zapadają w sen zimowy. Nie można już wytworzyć warstwy izolującej, zrzucenie liści nie wchodzi w grę. Dla maluchów nie ma to znaczenia – żaden wiatr im nie zagrozi, bo są nieduże, a nawet śnieg bardzo rzadko przysparza im problemów. Wiosną młode drzewka raz jeszcze wykorzystają tę samą szansę. Wypuszczają liście dwa tygodnie przed dorosłymi drzewami, zapewniając sobie w ten sposób sute śniadanie na słońcu. Ale skąd drzewne latorośle wiedzą, kiedy muszą ruszyć do akcji? Nie znają przecież terminu, w którym drzewa rodzicielskie zdecydują się puszczać pąki. Odpowiedź przynoszą łagodne temperatury panujące przy ziemi i faktycznie obwieszczające początek wiosny mniej więcej dwa tygodnie wcześniej, niż ma to miejsce trzydzieści metrów wyżej, w koronach drzew. Tam surowe wichry i przeraźliwie mroźne noce opóźniają jeszcze przez chwilę nadejście ciepłej pory roku. Stare drzewa radzą sobie tylko dzięki tworzącym ochronny parasol gałęziom, które trzymają w ryzach gwałtowne, późne przygruntowe przymrozki. A warstwa liści nad ziemią działa jak rozgrzewająca sterta kompostu, dzięki której słupek rtęci podnosi się o kilka stopni. Licząc razem z dodatkowymi dniami zdobytymi jesienią, młode drzewka zyskują miesiąc na swobodne rośnięcie – a to bądź co bądź prawie dwadzieścia procent okresu wegetacji.

Wśród drzew liściastych istnieją rozmaite metody oszczędzania. Przed zrzuceniem liści składniki rezerwowe są wycofywane do gałęzi. Jednak niektórym drzewom jest to najwyraźniej obojętne. Na przykład olchy żwawo zrzucają na ziemię soczystozielone liście, tak jakby jutro świat miał się skończyć. Rosną jednak zwykle na terenie bagiennym, zasobnym w składniki pokarmowe, i wyraźnie mogą sobie pozwolić na luksus wytwarzania chlorofilu co roku od nowa. Materiały wyjściowe do produkcji są przecież wytwarzane u ich stóp metodą recyklingu ze starych liści przez grzyby i bakterie, a efekty ich pracy mogą być od razu z powrotem pobierane przez korzenie. Mogą też zrezygnować z recyklingu azotu, gdyż żyją w symbiozie z bakteriami brodawkowymi, które stale udostępniają im jego dowolną ilość. W przeliczeniu na kilometr kwadratowy olszyny (lasu olchowego) mali pomocnicy są w stanie pobrać z powietrza i udostępnić korzeniom swych drzewnych przyjaciół do trzydziestu ton azotu na rok[40]. To więcej niż większość rolników rozrzuca w postaci nawozu na polach. Wiele gatunków dba o prowadzenie oszczędnej gospodarki, olchy jednak pysznią się swoim bogactwem. Podobnie postępują jesiony, a także czarny bez. Ci rozrzutnicy, zrzucając zielone liście, nie przyczyniają się do jesiennego kolorytu lasów – to raczej sknery mienią się kolorami. Nie, to też niezupełnie się zgadza. Żółć, oranż i czerwień ujawniają się po odprowadzeniu chlorofilu, ale rozkładowi ulegają także kolejno karotenoidy i antocyjany. Dąb jest tak ostrożnym gatunkiem, że gromadzi wszelkie możliwe zapasy, a na ziemię zrzuca już tylko brązowe liście. W wypadku buka mamy wszystkie barwy od brązu do żółci, podczas gdy czereśnie gubią czerwonawe listowie.

Wróćmy jeszcze raz do drzew iglastych, które w tym kontekście potraktowałem troszkę po macoszemu. Tu również mamy kandydata, który zrzuca liście jak drzewa liściaste – to modrzew. Nie mam pojęcia, dlaczego akurat on stosuje się do tej samej zasady co one, w przeciwieństwie do wszystkich innych drzew iglastych. Być może ewolucyjny konkurs na najlepszą metodę przezimowania po prostu nie został jeszcze rozstrzygnięty. Zostawienie igieł na zimę daje bowiem fory na wiosnę, gdyż drzewa mogą natychmiast ruszać do akcji, nie tracąc czasu na żmudne puszczanie listków. W rzeczywistości często jednak wiele pędów usycha, bo gleba jest jeszcze zamarznięta, za to korona rozgrzewa się w pierwszych wiosennych promieniach słońca i rozpoczyna fotosyntezę. Zwłaszcza igły z ostatniego roku, które jeszcze nie są powleczone grubą warstwą wosku, wiotczeją wówczas, bo nie są w stanie zahamować parowania, gdy drzewo zorientuje się w niebezpieczeństwie.

Poza tym świerki, sosny, jodły i daglezje również wymieniają igły, ponieważ i one muszą chodzić do toalety. W tym celu strącają te najstarsze, które już są uszkodzone, a ich wydajność pozostawia wiele do życzenia. Jodły zachowują przy tym dziesięcioletni cykl, świerki sześcioletni, a sosny trzyletni, co można rozpoznać odpowiednio po fragmentach gałęzi. Zwłaszcza sosny, które w ten sposób pozbywają się jednej czwartej swej zieloności, zimą mogą sprawiać wrażenie nieco podskubanych. Wiosną, wraz z nowymi pędami, doszlusuje nowy rocznik igieł i korony odzyskają zdrowy wygląd.

POCZUCIE CZASU

Zrzucanie liści jesienią i puszczanie nowych na wiosnę to w lasach w naszych szerokościach geograficznych zjawiska oczywiste. Jednakże przy bliższym przyjrzeniu się proces ten okazuje się wielkim cudem, bo drzewa potrzebują do niego przede wszystkim jednej rzeczy – poczucia czasu. Skąd one wiedzą, że znowu nadejdzie zima albo że wzrastające temperatury nie są tylko krótkim przerywnikiem, lecz zapowiadają wiosnę?

Wydaje się logiczne, że cieplejsze dni stymulują wypuszczanie liści, jako że w końcu w pniu drzewa topnieje wtedy zamarznięta woda i znowu swobodnie płynie. Jednak zdumiewającym trafem pączki ruszają tym wcześniej, im zimniejsza była mijająca zima. Badacze z Uniwersytetu Technicznego w Monachium przebadali to zjawisko w laboratorium klimatycznym[41]. Im cieplejsza zimna pora roku, tym później gałęzie, powiedzmy, buka okrywają się zielenią – to brzmi w pierwszej chwili nielogicznie. Wiele innych roślin, na przykład zioła, często rozpoczyna aktywność już w styczniu i nawet zaczyna kwitnąć, jak dowodzą regularnie pojawiające się w prasie sensacyjne doniesienia. Czy czasem w wypadku drzew nie dzieje się tak, że bez mrozów nie mogą zapaść w relaksujący sen zimowy i przez to w porę wystartować na wiosnę? Tak czy inaczej, w kontekście zmian klimatycznych jest to raczej negatywne zjawisko, bo inne gatunki, które nie są tak zmęczone i szybciej wytwarzają nowe listowie, zyskują w ten sposób przewagę.

Ileż to razy doświadczaliśmy w styczniu lub lutym cieplejszych okresów, a jednak buki czy dęby się nie zieleniły? Skąd one wiedzą, że to jeszcze nie jest pora na tworzenie nowych listków? Rozwiązanie zagadki wskazują chyba drzewa owocowe. Najwyraźniej drzewa potrafią liczyć! Dopiero po przekroczeniu określonej liczby ciepłych dni uznają, że sytuacja jest bezpieczna i nastała wiosna[42]. Jednak same ciepłe dni wiosny nie czynią.

Zrzucanie i wypuszczanie nowych liści nie zależy bowiem tylko od temperatury, lecz także od długości dnia. Przykładowo, buki ruszają dopiero wtedy, gdy w ciągu dnia przynajmniej przez trzynaście godzin jest jasno. To o tyle zdumiewające, że drzewa muszą przecież w takim razie dysponować czymś w rodzaju wzroku. Nasuwa się przypuszczenie, by szukać go na przykład w liściach – w końcu są one wyposażone w rodzaj ogniw słonecznych, a więc są najlepiej przygotowane na przyjęcie fal świetlnych. W porze letniego przesilenia faktycznie jest to prawda, ale przecież w kwietniu na gałęziach jeszcze nie ma liści. Sprawa do dziś nie jest całkowicie wyjaśniona, jednak przypuszczalnie chodzi o pączki, które posiadają tę zagadkową zdolność. Spoczywają w nich zwinięte listki, od zewnątrz okryte brązowymi łuskami, zapobiegającymi wyschnięciu. Przyjrzyjcie się kiedyś dokładniej tym łuskom pod światło, kiedy zaczynają wyłaniać się listki. Zgadza się, są przezroczyste! Prawdopodobnie wystarcza już najmniejsza ilość światła, by zarejestrować długość dnia, o czym wiadomo z badań nasion niektórych chwastów segetalnych*. Im wystarczają już najsłabsze promienie nocnego księżyca, by zaczęły kiełkować. Jednakże pień drzewa też potrafi rejestrować światło. W korze większości gatunków tkwią malutkie śpiące pączki. Gdy tylko sąsiednie drzewo umrze albo się przewróci, dociera do nich więcej słońca i u niektórych okazów rozwijają się, by drzewo mogło wykorzystać tę dodatkową ofertę świetlną.

A po czym drzewa poznają, że cieplejsze dni należy powiązać nie z późnym latem, lecz z wiosną? Tu z kolei chodzi o połączenie długości dnia i temperatury, które wyzwala właściwą reakcję. Rosnące temperatury oznaczają wiosnę, spadające zaś jesień – drzewa potrafią zarejestrować również i to. Właśnie dlatego rodzime gatunki, takie jak dąb czy buk, dopasowują się także do odwrotnego rytmu na półkuli południowej, gdy na przykład eksportuje się je do Nowej Zelandii i tam sadzi. Nawiasem mówiąc, dowodziłoby to jeszcze czego innego – drzewa muszą mieć pamięć. Jak inaczej mogłyby porównywać ze sobą długość dni, jak inaczej mogłyby liczyć ciepłe dni?

---

* To chwasty rosnące na polach, wśród roślin uprawnych.

Jeśli rok jest wyjątkowo ciepły, z wysokimi temperaturami jesienią, możecie zobaczyć drzewa, którym poplątało się poczucie czasu. Pączki nabrzmiewają im we wrześniu, a niektóre okazy wypuszczają nawet nowe listki. Takie gapy muszą jednak potem ponieść konsekwencje, gdy nadejdą spóźnione mrozy. Tkanka nowych przyrostów nie jest jeszcze zdrewniała, liście są więc bezbronne. Młoda zieleń zamarza, a to z pewnością boli. Ponadto z punktu widzenia przyszłej wiosny pączki są już stracone i trzeba wykształcić kolejne nowym nakładem sił. Ten, kto nie uważa, traci siły i jest w nadchodzącym sezonie gorzej wyposażony.

Jednak drzewa potrzebują poczucia czasu nie tylko z uwagi na liście. Ta zdolność jest równie ważna dla ich potomstwa. Spadające jesienią na ziemię nasiona nie powinny przecież od razu kiełkować, bo wtedy pojawią się dwa problemy. Po pierwsze, delikatne siewki nie zdrewnieją, czyli nie nabiorą twardości i łykowatości na zimę, w związku z czym zamarzną. Po drugie, zimą nie ma prawie nic do jedzenia dla saren i jeleni, więc rzucą się w zachwycie na świeżą zieleninę. Lepiej zatem poczekać do wiosny jak wszystkie inne gatunki roślin i wtedy wykiełkować. Z tego powodu nasiona potrafią rejestrować zimno i dopiero gdy po trzaskających mrozach następują dłuższe okresy ciepła, drzewne dzieci decydują się na wychynięcie z osłonek. Wiele nasion nie potrzebuje zresztą tak kunsztownego mechanizmu liczenia, jaki jest konieczny przy wypuszczaniu liści. Zagrzebane przez sójki oraz wiewiórki bukiew i żołędzie leżą sobie spokojnie na głębokości paru centymetrów pod ziemią. Ciepło zrobi się tam dopiero wtedy, gdy nadejdzie prawdziwa wiosna. Zawodnicy wagi lekkiej, na przykład nasiona brzóz, muszą się wykazać większą czujnością, bo dzięki skrzydełkom zawsze lądują na powierzchni ziemi i tam pozostają. Mogą trafić choćby na stanowisko wystawione na palące promienie słońca, dlatego też maluchy muszą rejestrować długość dnia jak ich duzi rodzice i czekać na odpowiednią chwilę.

KWESTIA CHARAKTERU

Przy lokalnej drodze z Hümmel, mojej rodzinnej wioski, do najbliższej miejscowości w dolinie rzeki Ahr rosną trzy dęby. Są punktem charakterystycznym wśród pól, które od tych drzew wzięły swą nazwę. Stoją niezwykle blisko siebie – odległość dzielącą stuletnie pnie mierzy się w centymetrach. I właśnie dlatego stanowią dla mnie idealny obiekt obserwacji, ponieważ warunki środowiskowe dla wszystkich trzech drzew są identyczne. Ani gleba, ani nawodnienie, ani lokalny mikroklimat nie mogą się zmienić trzykrotnie w obrębie jednego metra. Jeśli więc dęby zachowują się w różny sposób, należy to przypisać jedynie ich indywidualnie zróżnicowanym cechom. I faktycznie zachowują się odmiennie! Kierowca przejeżdżający obok nie zauważa, że są to trzy drzewa, czy dzieje się to zimą, gdy są pozbawione liści, czy też latem, gdy są okryte bujnym listowiem. Ich korony łączą się i tworzą jedną wielką kopułę. Wznoszące się tuż koło siebie pnie mogłyby przecież wyrastać z jednego korzenia, tak jak to się dzieje w przypadku wyciętych drzew, kiedy z karp puszczają się nowe pędy. Jednak zachowanie grupy dębów jesienią dowodzi, że mamy tu do czynienia z inną sytuacją. Bo gdy dąb po prawej stronie zmienił już kolor liści, to dąb pośrodku i dąb po lewej stronie są nadal w pełni zielone. Dopiero za tydzień lub dwa zapadną śladem kolegi w sen zimowy. Ale co może być powodem odmiennego zachowania, skoro rosną na identycznym stanowisku?

W rzeczywistości pora zrzucania liści zależy od charakteru drzewa. Bo zrzucić je musi, jak już się dowiedzieliśmy w poprzednim rozdziale. Jednak kiedy nadchodzi ta właściwa pora? Drzewa nie są w stanie przewidzieć nadchodzącej zimy, nie wiedzą, czy będzie ostra, czy łagodna. Rejestrują skracającą się długość dnia i spadające temperatury. O ile spadają. Jesienią bowiem często napływa powietrze ciepłe jak późnym latem i trzy dęby mają nagle problem. Czy powinny wykorzystać ładne dni, nadal zajmować się fotosyntezą i spiesznie zachomikować jeszcze parę dodatkowych kalorii w postaci cukrów? Czy też lepiej nie kusić losu i zrzucić liście, na wypadek gdyby nagle chwycił mróz i kazał iść spać na całą zimę? Najwyraźniej każde z trzech drzew podejmuje inną decyzję. Dąb po prawej jest nieco bardziej bojaźliwy lub – określając rzecz pozytywnie – jest rozsądniejszy. Na co komu dodatkowe zapasy, jeśli nie da się już zrzucić liści i trzeba będzie całą zimę drżeć o życie? No to na czas zrzucamy ten balast i odpływamy w krainę snów! Pozostałe dęby są ciut odważniejsze. Kto wie, co przyniesie wiosna, ile sił pożre nagły atak owadów i co po nim zostanie z substancji zapasowych. Dlatego właśnie dłużej się zielenią i po brzegi napełniają zbiorniki pod korą oraz w korzeniach. Do tej pory ten sposób postępowania zawsze się opłacał, lecz nie wiadomo, jak długo jeszcze. Wysokie temperatury utrzymują się bowiem jesienią coraz dłużej z powodu zmiany klimatu i ryzykowna loteria z liśćmi przeciąga się czasem aż do listopada. Jednakże jesienne burze nieodmiennie nadciągają w październiku, tak więc rośnie ryzyko, że powalą drzewo w pełnym ulistnieniu. Ostrożne drzewa mają moim zdaniem większe szanse na przeżycie.

Podobny dylemat pojawia się w wypadku pni drzew liściastych, ale także u jodły pospolitej. Zgodnie z *savoir-vivre*'em drzew pnie mają być długie i gładkie, czyli bez gałęzi w dolnej połowie. To rozsądne, jako że brakuje tam światła. Gdy nie ma promieni słonecznych do wykorzystania, wtedy niepotrzebne części organizmu, które tylko zużywałyby pożywienie, po prostu marnieją. Działa to na podobnej zasadzie, jak w wypadku naszych mięśni, które ulegają redukcji, gdy ciało się nimi nie posługuje – dla oszczędności kalorii. Jednakże drzewa nie potrafią same usunąć swych gałęzi, mogą tylko pozwolić im obumrzeć. Resztę muszą załatwić grzyby, które atakują martwe drewno. W którymś momencie murszeje ono, rozpada się i ostatecznie jest przerabiane na próchnicę. Za to drzewa mają problem z miejscem po oderwanej gałęzi. Grzyby mogą śmiało wedrzeć się tamtędy w głąb pnia, bo nie istnieje ochronna warstwa kory. Jeszcze nie istnieje, lecz to można zmienić. Jeżeli gałęzie nie były za grube (tak do trzech centymetrów), zajmie to tylko kilka lat i zranione miejsce z powrotem zarośnie. Od wewnątrz drzewa mogą znowu nasycać ten obszar wodą, co powoduje obumieranie grzybów. Jeżeli jednak gałęzie były bardzo grube, to proces

ten trwa zbyt długo. Rana pozostaje otwarta przez dziesiątki lat i tworzy dogodną bramę, przez którą grzyby mogą
wnikać głęboko w głąb drewna. Pień butwieje i co najmniej
traci nieco na stabilności. Właśnie dlatego podręcznik *savoir-vivre*'u zaleca wyłącznie cienkie gałęzie w dolnych partiach pnia. Jeżeli w procesie wzrostu drzewo je straci, w żadnym wypadku nie wolno mu wykształcić ich na nowo. Ale
niektóre okazy to właśnie robią. Jeśli kolega obok obumrze,
wykorzystują docierające światło, by wypuścić dołem nowe
pąki. Z nich powstają grube gałęzie, które początkowo oznaczają same korzyści. Drzewa mogą bowiem podwójnie wy-
zyskać znakomitą sposobność do fotosyntezy – w koronie
i przy pniu. Jednakże pewnego dnia, być może dopiero po
dwudziestu latach, korony stojących wokół drzew rozrosną
się do tego stopnia, że luka na powrót się zamknie. Na dolnych piętrach znów zrobi się ciemno i grube gałęzie obumrą.
Wtedy zemści się żądza słońca, bo – jak już opisano – grzyby wmaszerują głęboko w pień ignorantów, stwarzając dla
nich realną groźbę. Podczas najbliższej wyprawy do lasu
sami możecie sprawdzić, że takie zachowanie jest rzeczywiście indywidualne, a co za tym idzie – jest kwestią charakteru. Przyjrzyjcie się drzewom, które rosną wokół niewiel-
kiej polany. Wszystkie mają okazję do popełnienia głupstwa
i wytworzenia nowych gałęzi przy pniu, ale tylko niektóre
uległy pokusie. Reszta ma nienagannie gładką korę i unika
przewidywalnego ryzyka.

CHORE DRZEWO

Ze statystycznego punktu widzenia większość gatunków drzew ma wszelkie dane po temu, by dożyć bardzo sędziwego wieku. W lesie cmentarnym w moim rewirze ciągle słyszę pytania od nabywców drzewa, ilu też lat może dożyć ich okaz. Ludzie przeważnie wybierają sobie buk albo dąb, a norma dla nich wynosi wedle dzisiejszego stanu wiedzy około czterystu–pięciuset lat. Czymże jednak jest statystyka wobec konkretnego przypadku? Niczym – tak samo jak u ludzi. Bo ściśle wytyczony bieg życia drzewa może się pewnego dnia zmienić z przeróżnych powodów. Jego zdrowie zależy od stabilności lasu jako ekosystemu. Temperatura, wilgotność i oświetlenie nigdy nie powinny się gwałtownie zmieniać, ponieważ drzewa mają bardzo powolny czas reakcji. Ale nawet jeśli wszystkie warunki są optymalne, to przecież owady, grzyby, bakterie i wirusy bezustannie czyhają na swą szansę, by wreszcie przejść do ofensywy. Zasadniczo może im się to udać wyłącznie wtedy, gdy zostanie zaburzona równowaga drzewa. W normalnym stanie starannie gospodaruje ono siłami. Dużą ich część pochłania życie codzienne. Drzewo musi oddychać, „trawić" pożywienie, zaopatrzyć w cukier grzybowych przyjaciół, codziennie troszeczkę urosnąć i jeszcze odłożyć jakieś zapasy, by móc bronić się przed szkodnikami. Taka rezerwa może być wykorzystana w każdej chwili i w zależności od gatunku drzewa zawiera szereg substancji obronnych, których nie należy lekceważyć. To tak zwane fitoncydy o działaniu podobnym do antybiotyków. Ich imponującą skuteczność potwierdziły doświadczenia. Już w 1956 roku leningradzki biolog Borys Tokin opisał następujący eksperyment: jeżeli do kropli wody zawierającej pierwotniaki dodać kroplę roztartych igieł świerkowych lub sosnowych, to mikroorganizmy zginą w ułamku sekundy. W tej samej rozprawie Tokin pisze, że powietrze w młodych lasach sosnowych jest niemal całkowicie pozbawione drobnoustrojów za sprawą wydzielanych przez igły fitoncydów[43]. Drzewa więc naprawdę mogą dezynfekować otoczenie. Ale to jeszcze nie wszystko. Orzechy włoskie wypowiedziały wojnę owadom, a zawarte w ich liściach substancje są na tyle groźną bronią, że można z całą odpowiedzialnością udzielić konkretnej porady miłośnikom ogrodów – jeśli chcecie ustawić ławeczkę gdzieś w zacisznym miejscu, to tylko w cieniu orzecha włoskiego. Szansa na pokąsanie przez komary jest minimalna. Sami też możecie bez trudu wywęszyć fitoncydy drzew iglastych – to ten przenikliwy zapach lasu, szczególnie dobrze wyczuwalny w gorące letnie dni.

Jeśli troskliwie wypracowany bilans sił poświęcanych na wzrost i na obronę zostanie zaburzony, drzewo może się

rozchorować. Przyczyną może być na przykład śmierć sąsiada. Nagle do korony dociera mnóstwo światła, a drzewo
zaczyna chciwie intensyfikować procesy fotosyntezy. To jak
najbardziej rozsądne posunięcie, bo taka szansa trafia mu się
tylko raz na mniej więcej sto lat. Zalane nagle słonecznym
światłem drzewo porzuca wszystkie inne zajęcia i koncen-
truje się wyłącznie na rozroście gałęzi. Nie ma zresztą wyj-
ścia, bo otaczający je koledzy robią dokładnie to samo, tak
że luka w koronach lasu zamknie się w krótkim (dla drzew)
czasie, plus minus dwudziestu lat. Młode pędy szybko się
wydłużają, a ich roczne przyrosty mierzą do pięćdziesięciu
centymetrów zamiast dotychczasowych kilku milimetrów.
Oznacza to wydatek energii, której nie starczy już na obronę przed chorobami i pasożytami. Jeśli drzewo ma szczęście,
wszystko pójdzie dobrze i po zamknięciu się prześwitu będzie miało większą koronę. Zrobi sobie przerwę i znów usta-
bilizuje prywatny bilans sił. Biada jednak temu, które czegoś
zaniedba, upojone nagłym wzrostem. Nie zauważy grzyba,
który opanuje kikut konara i po martwym drewnie prze-
wędruje do pnia, nie zauważy kornika, który przypadkiem
nadgryzie straceńca i stwierdzi, że nikt nie reaguje – i już po
wszystkim. Pozornie tryskający zdrowiem pień będzie coraz bardziej porażony, bo braknie mu energii na mobilizację
substancji obronnych. W koronie widać już pierwsze reakcje na ataki. U drzew liściastych nagle obumierają żywotne
najwyższe pędy, a w niebo sterczą grube kikuty konarów bez
bocznych gałęzi. Pierwsze reakcje iglastych polegają zaś na
tym, że nie są w stanie utrzymać na drzewie kilku roczników
igieł. Chore sosny nie mają więc już na gałęziach trzech, lecz

tylko jeden lub dwa roczniki, co sprawia, że korony są wyraźnie przerzedzone. U świerków dochodzi tak zwany efekt kurtyny, który powoduje, że boczne gałęzie zwisają miękko z konarów. Nieco później z pnia zaczynają odpadać wielkie płaty kory. Od tego momentu zdarzenia biegną coraz szybciej. W miarę postępującego procesu obumierania korona coraz bardziej zapada się w sobie, jak balon na ogrzane powietrze, któremu odkręcono zawór, ponieważ martwe konary łamią się podczas zimowych zawiei. U świerków o wiele lepiej to widać, bo znajdujące się najwyżej uschnięte czubki takich drzew wyraźnie się odcinają od zieleni niższych, jeszcze żyjących pięter.

Żywe drzewo tworzy co roku słoje drewna, bo jest niejako skazane na wzrost. Kambium, jasna, cienka warstwa pomiędzy korą a drewnem, wytwarza w okresie wegetacyjnym komórki drewna do wewnątrz i nowe komórki kory na zewnątrz. Jeśli drzewo nie jest już w stanie przyrastać na grubość, umiera. A przynajmniej długi czas tak uważano. Uczeni odkryli w Szwajcarii sosny, które wydawały się zdrowe i gęsto pokryte zielonymi igłami. Przy dokładniejszym badaniu poprzez ścięcie drzewa czy też pobranie próbki świdrem stwierdzono jednak, że kilka okazów już od ponad trzydziestu lat nie wytworzyło ani jednego nowego słoja[44]. Martwe sosny z zielonymi igłami? Drzewa były porażone hubą korzeniową, agresywnym grzybem, który doprowadził do obumarcia kambium. Korzenie nadal jednak rurkami w pniu pompowały wodę do korony, zaopatrując w ten sposób igły w życiodajną wilgoć. A same korzenie? Gdy kambium jest martwe, kora również. Nie da się już więc pompować na dół z igieł roztworu cukrów. Sprawą zajęły się przypuszczalnie sąsiednie, zdrowe sosny, które pomagały umierającym towarzyszom i zaopatrywały ich korzenie w pokarm. Opowiadałem już o tym w rozdziale zatytułowanym *Przyjaźnie*.

Oprócz chorób drzewa ulegają też zranieniom. Powody mogą być rozmaite. Na przykład sąsiednie drzewo może się przewrócić. W gęstym lesie nie da się wtedy uniknąć zahaczenia o kilku najbliższych towarzyszy. Jeśli zdarzy się to zimą, gdy na drzewie znajduje się względnie sucha kora, to nic szczególnie złego się nie stanie. Przeważnie złamie się parę konarów, a to szkoda, po której za kilka lat nie będzie śladu. Poważniejsze natomiast są zranienia pnia, one zaś występują przeważnie podczas letnich miesięcy. W kambium, przejrzystej jak szkło i śliskiej, cienkiej warstwie wzrostowej między drewnem a korą, jest wtedy pełno wody. Wystarczy niewielki nacisk i zewnętrzna skóra łatwo odchodzi. Szorujące po korze konary upadającego sąsiada mogą wyszarpać w drzewie rany wielometrowej długości. Aua! Wilgotne drewno jest idealną przystanią dla zarodników grzybów, pojawiających się już parę minut później. Wyrosną z nich grzybnie, które od razu zabiorą się do posiłku z drewna i substancji odżywczych. Ale na razie muszą się jeszcze chwilę wstrzymać. W drewnie jest po prostu zbyt dużo wody i chociaż grzyby lubią soczysty pokarm, to jednak sączące się krople oznaczają dla nich śmierć. Zwycięski pochód do wnętrza pnia hamuje więc z początku wilgotna, zewnętrzna partia drewna – biel. Teraz został odsłonięty i od zewnątrz wysycha. Zaczyna się wyścig w zwolnionym tempie. Grzyby przenikają do wnętrza w takim tempie, w jakim biel traci wilgoć, jednocześnie zaś drzewo próbuje zasklepić ranę. Tkanka na jej brzegach porządnie daje gazu i przyrasta wyjątkowo szybko. W ciągu roku może pokryć zranione drewno do centymetra szerokości. Najpóźniej po pięciu latach sprawa musi być zakończona. Nowa kora zamyka starą ranę, drzewo może znowu nasączyć od wewnątrz wodą uszkodzone drewno i w ten sposób uśmiercić grzyby. Jeśli jednak udało im się przedostać z bielu do twardzieli, to jest za późno. Ta martwa już część jest suchsza, a więc idealna dla agresora, a drzewo nie jest w stanie tu zareagować. O tym, czy w ogóle ma jeszcze jakąś szansę, rozstrzyga szerokość zranienia. Każde uszkodzenie wyraźnie powyżej trzech centymetrów może zdecydować o dalszych losach drzewa. Ale nawet jeśli grzyb wygra i wygodnie umości się w samym jego wnętrzu, nie wszystko jeszcze stracone. Wprawdzie może teraz bez przeszkód rzucić się na drewno, jednak nie ma pośpiechu. Zanim zdoła wszystko pożreć i przerobić na próchno, może minąć całe stulecie. Drzewo nie straci przez to stabilności, bo w wilgotnych, zewnętrznych słojach bielu grzyb nie może się przecież rozprzestrzeniać. W skrajnym przypadku drzewo zostanie wydrążone niczym rura od pieca. I tak jak rura zachowa pełną stabilność. Nie musimy więc żałować spróchniałego drzewa; bólu zapewne też nie odczuwa. A to dlatego, że drewno znajdujące się w samym środku pnia jest już z reguły wyłączone z użycia, nie ma w nim żywych komórek, a zewnętrzne słoje roczne, które są jeszcze aktywne, przewodzą wodę przez pień i przez to są zbyt wilgotne dla grzybów.

Jeżeli drzewu powiodło się zarastanie rany, czyli zasklepiło uszkodzenie pnia, to ma szansę na dożycie podobnego wieku, jak jego cali i zdrowi towarzysze. Czasami jednak, podczas szczególnie mroźnych zim, stare rany na nowo się odzywają. W lesie rozlega się wtedy huk niczym wystrzał z karabinu, a pień pęka wzdłuż linii zranienia. Powodem są różnice naprężeń w zamarzniętym drewnie, które u drzew z taką przeszłością jest bardzo nierównomiernie zbudowane.

NIECH STANIE SIĘ ŚWIATŁOŚĆ!

W wielu miejscach pisałem już o świetle słońca i o tym, jak niezwykle ważnym jest czynnikiem w życiu lasu. Brzmi to banalnie, w końcu drzewa są roślinami i muszą przeprowadzać fotosyntezę, by żyć. W naszych przydomowych ogródkach grządki i trawnik stale oświetla dostateczna ilość słońca i dlatego dla wzrostu roślin decydujące znaczenie mają raczej woda lub zawarte w glebie substancje odżywcze. Nie zauważamy na co dzień, że światło jest ważniejsze od obu tych czynników. A ponieważ chętnie sądzimy według siebie, nie dostrzegamy, że dziewiczy las ma zupełnie inne priorytety. Tu toczy się walka o każdy promyk słońca, a każdy gatunek wyspecjalizował się w wykorzystywaniu pewnych szczególnych okoliczności, by przechwycić choć trochę energii. Na najwyższym piętrze, w siedzibie dyrekcji, rozpierają się potężne buki, jodły lub świerki i pochłaniają dziewięćdziesiąt siedem procent słonecznych promieni.

Brutalnie i bezwzględnie, ale czyż każdy gatunek nie zagarnia dla siebie wszystkiego, co tylko może zdobyć? Drzewa wygrywają wyścig po słońce tylko dlatego, że potrafią wykształcić tak długie pnie. Jednak roślina jest w stanie wytworzyć długie, stabilne pnie tylko wówczas, gdy jest wiekowa, ponieważ w drewnie zgromadził się ogromny zasób energii. I tak na przykład pień dorosłego buka potrzebuje do wzrostu tyle cukru i celulozy, ile odpowiada plonom z pola pszenicy o wielkości jednego hektara. Jasne, że tak potężny twór wymaga nie roku, lecz stu pięćdziesięciu lat, by urosnąć. Potem jednak, poza innymi drzewami, niemal żadna roślina nie jest w stanie mu dorównać i przez resztę życia nie musi się już niczym martwić. Jego własne potomstwo jest przystosowane do tego, by zadowalać się pozostałościami światła, a on będzie je przecież dodatkowo dokarmiać. Ale reszty pospólstwa u stóp drzewa to już nie dotyczy, musiało więc wymyślić coś innego. Tak jak na przykład zrobiły to rośliny wcześnie kwitnące. W kwietniu brązowe ziemie pod starymi drzewami liściastymi zalewa morze białych kwiatów. To zawilec gajowy, który nadaje lasom baśniowy wygląd. Między zawilcami pojawiają się gdzieniegdzie żółte lub błękitno-fioletowe kwiatki, na przykład przylaszczka. Jej niemiecka nazwa *Leberblümchen* (dosłownie „wątrobowy kwiatek") odwołuje się do kształtu liści rośliny, który może kojarzyć się z ludzką wątrobą[*]. A ponieważ przylaszczka kwitnie tak wcześnie, w niektórych rejonach Niemiec nazywana jest też

---

[*] Ten sam rodowód ma nazwa łacińska *Hepatica nobilis*, w polskim zaś nazewnictwie ludowym pojawiała się „wątrobnica" czy „wątrobnik". O etymologii zob. https://pl.wikipedia.org/wiki/Przylaszczka_pospolita, dostęp: 30 kwietnia 2016.

„wścibinosem" (*Vorwitzchen*). To uparty kwiatuszek. Gdzie raz urośnie, tam chce już pozostać na zawsze, a poprzez nasiona rozprzestrzenia się bardzo powoli. Dlatego te rośliny można spotkać tylko w tych lasach liściastych, które liczą sobie wieleset lat.

Kolorowe towarzystwo wydaje się wprost popisywać kwietnym przepychem, nie bacząc na koszty. Powodem tej rozrzutności jest wąskie okienko czasowe do wykorzystania. Gdy w marcu wiosenne słońce zaczyna rozgrzewać ziemię, drzewa liściaste są jeszcze pogrążone w zimowym śnie. Do początku maja zawilce i spółka wykorzystują swoją szansę i produkują pod bezlistnymi olbrzymami węglowodany na przyszły rok. Składniki pokarmowe magazynują w korzeniach. Maleńkie piękności muszą się ponadto jeszcze rozmnożyć, co znowu oznacza wydatek sił. Fakt, że to wszystko im się udaje w ciągu miesiąca czy dwóch, graniczy z cudem. Bo gdy tylko drzewa puszczą pączki, znowu zrobi się o wiele za ciemno i kwiaty będą musiały ponownie przymusowo pauzować przez dziesięć miesięcy.

Wcześniej pisałem wprawdzie, że niemal żadna roślina nie jest w stanie dorównać drzewom, ale teraz chciałbym położyć nacisk na słowo „niemal". Bo faktycznie istnieją rośliny, które potrafią sięgnąć koron. Szczególnie trudne i żmudne jest dotarcie tam, gdy startują z samego dołu. Jedną z takich roślin jest bluszcz. Zaczyna jako maleńkie ziarenko u podnóża drzew światłożądnych, czyli wszystkich tych gatunków, które obchodzą się z promieniami słońca szczególnie rozrzutnie, nie wykorzystując ich w całej pełni i pozwalając niektórym dotrzeć na ziemię. Rosnącemu pod sosnami czy dębami bluszczowi wystarcza to, by stworzyć regularne dywany u ich stóp. Jednak pewnego dnia jeden z pędów zaczyna się wspinać po pniu. Jako jedyna roślina środkowoeuropejska używa do tego korzeni czepnych, które mocno wbijają się w korę. Przez dziesiątki lat posuwa się cierpliwie w górę, póki wreszcie nie dojdzie do korony drzewa. Tam może dożyć kilkuset lat, chociaż tak stare okazy spotyka się raczej na skalnych ścianach bądź murach zamków. W literaturze fachowej można przeczytać, że taka okrywa nie szkodzi drzewom. Nie mogę tego potwierdzić na podstawie obserwacji naszych drzew przydomowych, wręcz przeciwnie – zwłaszcza sosny, które potrzebują mnóstwa światła dla swych igieł, źle znoszą panoszącą się na ich szczytach konkurencję. Ich konary obumierają po kolei, co może tak silnie osłabić drzewa, że w końcu zginą. A wijąca się wokół pnia łodyga bluszczu, który sam może stać się gruby jak drzewo, dławi sosny i dęby z siłą węża dusiciela, obwijającego się wokół człowieka. Owo dusicielskie działanie wyraźniej widać u innego gatunku – wiciokrzewu pomorskiego. Ta roślina o ładnych, przypominających lilie kwiatach pnie się z upodobaniem po młodszych drzewach. Obwija się przy tym tak mocno wokół pni, że tworzy zacieśniające się na nich w miarę wzrostu solidne, spiralne pętle. Tak zdeformowane drzewka chętnie są sprzedawane – jak już wspominałem – jako nieszablonowe laski; w naturze nie przeżyłyby zresztą dużo dłużej. Wskutek przyhamowania wzrostu pozostają w tyle za rówieśnikami. A nawet gdyby im się udało dorosnąć, wówczas burza złamie je w miejscu skręcenia.

Jemioły oszczędzają sobie żmudnej wspinaczki. Najchętniej zaczynają od razu na samej górze i w tym celu korzystają z pomocy drozdów: gdy ptaki ostrzą sobie dzioby o gałęzie w koronach drzew, przyklejają się do nich lepkie nasionka jemioły. Ale jak im się w ogóle udaje zdobyć wodę i składniki pokarmowe tak wysoko w górze, bez żadnego kontaktu z ziemią? No cóż, w tych napowietrznych rejonach jest ich pod dostatkiem – w drzewach. Jemioły zapuszczają więc korzenie w gałąź, na której siedzą, i po prostu wysysają to, czego im potrzeba. Niemniej jednak prowadzą samodzielnie fotosyntezę, tak że drzewa żywiciele tracą „tylko" wodę i minerały. Z tego powodu naukowcy nazywają jemiołę półpasożytem. Niewielki z tego pożytek dla drzew, na których rośnie, bo wraz z upływem lat jemioły coraz bardziej się rozprzestrzeniają. Zaatakowane okazy łatwo dostrzeżecie zimą przynajmniej wśród drzew liściastych – niektóre są bez reszty obrośnięte jemiołą, a w takiej ilości jest już niebezpieczna. Stały upust krwi osłabia drzewa, którym ponadto jemioła zabiera coraz więcej światła. A gdyby to jeszcze nie wystarczało, jej korzenie potężnie osłabiają strukturę drewna opanowanych gałęzi. Po kilku latach często się łamią, a korona się zmniejsza. I czasem drzewo nie wytrzymuje już tego wszystkiego, i umiera.

Mniej szkodliwe są inne rośliny, które wykorzystują drzewa jedynie jako podporę – a mianowicie mchy. Wiele ich gatunków nie ma korzeni, które zapuszczają się w podłoże, lecz mocno trzymają się kory jedynie chwytnikami. Niemal nie mają dostępu do światła, nie pobierają substancji odżywczych ani wody z gleby, nie podłączają się też do zasobów drzewa – czy to w ogóle możliwe? Tak, chociaż tylko przy rzeczywiście skrajnie ascetycznej postawie. Delikatne poduchy mchu wychwytują wodę z rosy, mgły lub deszczu i ją magazynują. Jednak przeważnie to nie wystarcza, bo drzewa albo działają jak parasole (świerki i spółka), albo odprowadzają wodę konarami prosto do korzeni (drzewa liściaste). W tym ostatnim przypadku sytuacja jest prosta – mchy osiedlają się na pniu w tych miejscach, którędy po deszczu spływa woda. Nie płynie ona równomiernie, bo większość drzew stoi trochę krzywo. U góry lekkiej krzywizny tworzy się mały strumyczek, z którego czerpią mchy. Nawiasem mówiąc, z tego właśnie powodu porastający drzewo mech nie nadaje się do określania stron świata. Rzekomo ma wskazywać stronę nawietrzną, z której deszcz uderza o pień i nawilża go. Ale w środku lasu, gdzie drzewa wyhamowały wiatr, deszcz przeważnie pada pionowo z góry na dół. Do tego każde drzewo jest wygięte w inną stronę, tak że orientacja po mchu może wyłącznie przyprawić o zawrót głowy.

Jeśli ponadto kora jest chropowata, to wilgoć wyjątkowo długo utrzymuje się w niewielkich szczelinach. Chropowatość pni zaczyna się od dołu i w miarę upływu lat postępuje coraz wyżej, aż do korony. Dlatego właśnie mech na młodych drzewach rośnie tylko parę centymetrów nad ziemią, za to później otula dolną część pnia niczym podkolanówka. Krzywda się drzewu nie dzieje, a tę odrobinę wody, którą uszczkną malutkie roślinki, zwrócą przecież, wyparowując wilgoć, i w ten sposób pozytywnie wpłyną na leśny mikroklimat. Pozostawałaby jeszcze kwestia składników odżywczych. Jeśli nie pochodzą z gleby, zostaje tylko powietrze. A przez cały rok przez las przetacza się z wiatrem cała masa pyłów. Dorosłe drzewo potrafi odfiltrować ponad sto kilogramów, które wraz z deszczem spływają po pniu. Mieszaninę wchłaniają mchy i odfiltrowują sobie to, czego im trzeba. Składniki odżywcze mamy więc załatwione, zostaje jeszcze światło. Nie ma z nim problemu w jasnych lasach sosnowych czy dębowych, ale już w wiecznie ciemnych lasach świerkowych tak. Tu nawet asceci muszą spasować i właśnie z tego powodu wyjątkowo gęste młodniki w lasach iglastych są często niemal całkowicie pozbawione mchu. Dopiero wraz z postępującym wiekiem drzew, gdy tu i ówdzie otworzą się prześwity w leśnym okapie, do gleby dochodzi wystarczająco dużo słońca, by mogła się zazielenić. W starych lasach bukowych sprawa wygląda nieco inaczej, bo tutaj mchy mogą wykorzystać bezlistny okres przejściowy wczesną wiosną i jesienią. Latem robi się wprawdzie zbyt ciemno, ale rośliny są nastawione na okresy głodu i pragnienia. Zdarza się, że przez kilka miesięcy nie spadnie ani kropla deszczu. Pogładźcie wtedy mchową poduchę – jest sucha jak pieprz. Większość gatunków roślin dawno by zginęła, ale nie mchy. Przy najbliższej porządnej ulewie znowu napęcznieją – i życie będzie toczyć się dalej.

Jeszcze bardziej wstrzemięźliwe są porosty. Maleńkie szarozielone roślinki uosabiają symbiozę pomiędzy grzybami a glonami. Do życia potrzebują zahaczenia się na jakimś podłożu, a w lesie są nim właśnie drzewa. W przeciwieństwie do mchów pną się po pniach na dużo większą wysokość, bo pod dachem z liści ich tak czy owak skrajnie powolny wzrost jest jeszcze dodatkowo hamowany. Często po kilku latach ledwie im się udaje wytworzyć przypominający pleśń nalot na korze, przez co wielu odwiedzających las pyta, czy drzewa nie są chore. Ale nie – porosty w niczym nie szkodzą drzewom, a tak naprawdę są im szczerze obojętne.

Te niewielkie roślinki nadrabiają ślimacze tempo wzrostu ekstremalną długością życia – maksymalna granica wieku wynosi w ich wypadku kilkaset lat i pokazuje, jak znakomicie te organizmy dopasowały się do powolności lasów pierwotnych.

DZIECI ULICY

Zastanawialiście się kiedyś, dlaczego mamutowce w Europie nigdy nie są specjalnie wysokie? Mimo że niektóre z nich liczą sobie już sto pięćdziesiąt lat, to żaden z nich nie jest wyższy niż pięćdziesiąt metrów. W ich dawnej ojczyźnie, na przykład w lasach zachodniego wybrzeża Ameryki Północnej, bez najmniejszego wysiłku osiągają dwa razy większą wysokość. Dlaczego tutaj im to nie wychodzi? Jeśli przypomnimy sobie rozważania o drzewnych przedszkolach, o ekstremalnej powolności młodych drzew, moglibyśmy powiedzieć – przecież to jeszcze dzieci, czegóż można od nich oczekiwać! Ale tej hipotezie przeczy ogromna średnica pnia starszych europejskich mamutowców, która często wynosi ponad dwa i pół metra (mierzona na wysokości piersi). Rosnąć więc potrafią, tylko w którymś momencie kierują energię w niewłaściwą stronę.

Wskazówki, o co tu może chodzić, dostarczają stanowiska mamutowców. Często są to miejskie parki, gdzie zostały posadzone jako egzotyczne trofea książąt i polityków. A drzewom brakuje przede wszystkim lasu czy też, ściśle mówiąc, rodziny. We wspomnianym wieku stu pięćdziesięciu lat są rzeczywiście – oceniając według ich przewidywanej długości życia, która wynosi kilka tysięcy lat – jeszcze dziećmi, które dorastają bez rodziców, z dala od ojczyzny. Nie mają wujków, nie mają ciotek, nie mają wesołego przedszkola. Nic z tych rzeczy – pozbawione rodziny, muszą samotnie, na obczyźnie, przedzierać się przez życie. A co z wieloma innymi drzewami w parku? Czy nie tworzą one czegoś w rodzaju lasu, czy nie mogłyby stworzyć przybyszom rodziny zastępczej? Z reguły jednak zostały posadzone w tym samym czasie, nie mogły więc zaoferować małym mamutowcom ochrony i pomocy. Ponadto ich gatunki są sobie bardzo, bardzo obce. Kazać lipom, dębom czy bukom zwyczajnym wychowywać mamutowce to mniej więcej tak, jak gdybyśmy chcieli powierzyć ludzkie niemowlęta myszom, kangurom czy humbakom. To nie działa, więc mali Amerykanie muszą sami brać się za bary z życiem. Bez matki, która ich nakarmi i która będzie czuwać, by maluchy nie rosły zbyt szybko, bez przytulnego, wilgotno-bezwietrznego klimatu lasu, w opuszczeniu. Jak gdyby tego jeszcze było mało, gleba w większości wypadków to po prostu katastrofa. Podczas gdy w puszczy delikatne korzenie mają pod dostatkiem miękkiej, gruzełkowatej, bogatej w próchnicę i stale wilgotnej ziemi, parki oferują jedynie twarde, wyjałowione przez miejskie osadnictwo zbite połacie. Ponadto spacerowicze chcą podejść do drzew, dotknąć kory i wypocząć w cieniu ich koron. Przez dziesiątki lat tratują bezustannie ziemię u ich stóp, co powoduje dalsze zbicie gleby. Deszcz spływa o wiele za szybko, zimą nie da się zrobić zapasów na lato.

Sam fakt sztucznego sadzenia drzewek pociąga za sobą skutki na całe życie. Bo żeby w ogóle móc przenieść drzewka ze szkółki na ostateczne stanowisko, trzeba najpierw całe lata je do tego przygotowywać. Każdej jesieni korzenie na grządkach są przycinane, by pozostały zwarte i w przyszłości można je było łatwo wykopać. Średnica bryły, która dla trzymetrowej wysokości drzewka wynosi około sześciu metrów, zostaje w ten sposób zredukowana do pięćdziesięciu centymetrów. Koronę również się silnie przycina, by nie zginęła z pragnienia przy tak okrojonych korzeniach. Te zabiegi nie mają służyć zdrowiu drzewka, lecz jedynie wygodzie użytkowania. Przy skracaniu korzeni odcina się niestety razem z ich wrażliwymi koniuszkami przypominające umysł struktury – aua! Drzewo jak gdyby traci orientację, nie potrafi już pod ziemią rosnąć w głąb i wykształca płaski „talerz" korzeniowy. Wodę i składniki odżywcze może w ten sposób pozyskiwać w bardzo ograniczonym stopniu.

Początkowo to wszystko zdaje się zbytnio nie przeszkadzać młodym drzewkom. Napychają się słodyczami, bo w pełnym blasku słońca mogą do woli uprawiać fotosyntezę. Łatwo więc mogą przeboleć brak karmiącej matki. W pierwszych latach problem wody w twardej jak kość glebie jest również słabo odczuwalny, bo w końcu siewki są starannie pielęgnowane i w razie suszy podlewane przez ogrodników. Przede wszystkim jednak nie ma żadnej dyscypliny! Żadnych napomnień „tylko powoli", żadnego „zaczekaj najpierw te dwieście lat", żadnych kar w postaci odcięcia dostępu do światła, jeśli się nie rośnie ładnie i prosto. Każde z młodych drzewek może robić, co mu się żywnie podoba. Startują więc do wyścigu i co roku wytwarzają długie pędy szczytowe. Od pewnej wysokości premia za dzieciństwo wydaje się jednak wyczerpana. Podlewanie dwudziestometrowych drzew wymagałoby olbrzymich ilości wody i czasu. Ogrodnicy musieliby zużyć wiele metrów sześciennych wody, by odpowiednio nawilżyć korzenie – i to tylko na jedno drzewo! A zatem pewnego dnia po prostu przestają się o nie troszczyć.

Mamutowce najpierw tego w ogóle nie zauważają. Przeżyły w dostatku dziesiątki lat i robiły to, na co tylko miały ochotę. Ich gruby pień niczym brzuch obżartucha zaświadcza o solarnych orgiach. Fakt, że komórki w ich wnętrzu są bardzo duże, zawierają sporo powietrza, a tym samym są podatne na atak grzybów, nie odgrywa większej roli w młodych latach.

Boczne konary świadczą również o braku wychowania. Zasady *savoir-vivre*'u, które obowiązują w lesie pierwotnym i zalecają cienkie gałęzie w dolnej części pnia lub całkowity ich brak, nie są znane w parku. Za sprawą obfitości światła docierającego aż do ziemi mamutowce wykształcają grube pędy boczne, które później tak się rozrastają, że porównanie z napakowanym kulturystą samo się narzuca. Wprawdzie gałęzie w dolnej części pnia, do dwóch–trzech metrów, są przeważnie odpiłowywane przez ogrodników, by nic nie ograniczało spacerowiczom swobodnego widoku, jednak w porównaniu z lasem pierwotnym, gdzie grubsze konary są dozwolone dopiero na wysokości dwudziestu, a czasem nawet pięćdziesięciu metrów, to i tak istny raj.

W końcowym efekcie wytwarza się gruby, krótki pień, a nad nim jest już tylko korona. W skrajnym przypadku

parkowe drzewa wyglądają tak, jakby składały się wyłącznie z korony. Ich korzenie zagłębiają się co najwyżej na pół
metra w zdeptaną setkami nóg ziemię, a tym samym nie
dają drzewom żadnego oparcia. To bardzo ryzykowne i dla
okazów normalnej wielkości stanowiłoby zbyt chwiejną podporę. Jednakże u form mamutowców wyrosłych z dala od
lasów pierwotnych punkt ciężkości leży bardzo nisko, czytaj – burze nie wytrącą ich tak łatwo z równowagi i dlatego
są stosunkowo stabilne.

Ukończenie pierwszych stu lat życia (i osiągnięcie odpo-
wiednika wieku szkolnego) oznacza koniec beztroskich dni.
Najwyższe pędy usychają, bo mimo wszelkich prób, by raz
jeszcze wystrzelić w górę, drzewo osiągnęło już kres swoich
możliwości. Dzięki naturalnej impregnacji przeciw grzybom
mamutowce mogą jednak przetrwać jeszcze wiele dziesiątków lat mimo pojawiających się uszkodzeń kory.

Zupełnie inaczej zachowują się inne gatunki drzew. Buki
na przykład źle znoszą każde odpiłowanie grubych konarów.
Podczas najbliższego spaceru po parku przyjrzyjcie się im
dokładniej – nie istnieją niemal okazy dużych drzew liściastych, które nie byłyby w jakiś sposób podcięte, opiłowane
czy jakkolwiek podstrzyżone. To „cięcie" (a właściwie ma-
sakra) służy często wyłącznie względom estetycznym, które
na przykład wymagają, by wszystkie drzewa w alejce miały
identycznie uformowaną koronę. Przycięta korona oznacza
dotkliwy cios dla korzeni. Ich wielkość jest optymalnie do-
stosowana do nadziemnych organów. Gdy więc usunie się
dużą część konarów, a przez to ograniczy fotosyntezę, odpowiednio duży procent części podziemnych umrze z głodu.
W ich martwe zakończenia i w miejsca cięć na pniu wnikną

teraz grzyby, które łatwo się rozprawią z napowietrzonym, szybko wytworzonym drewnem. Już po paru dekadach, czyli w tempie dla drzew błyskawicznym, wewnętrzna zgnilizna zaczyna być widoczna na zewnątrz. Obumierają całe połacie korony, wobec czego zarząd zieleni miejskiej wycina je, by usunąć potencjalne zagrożenie dla spacerowiczów. W miejscach po cięciu powstają dalsze ogromne rany. Naniesiona na nie maść ogrodnicza przyspiesza w wielu wypadkach proces rozkładu, bo pod spodem drewno pozostaje wilgotne – superwarunki dla grzybów!

W końcu pozostaje sam kadłub drzewa, który nie nadaje się do utrzymania i pewnego dnia zostanie ścięty. A ponieważ żaden krewniak nie pospieszy z pomocą, pniak obumrze prędko i ostatecznie. Niedługo później posadzi się nowe drzewo i cały dramat zacznie się na nowo.

Miejskie drzewa to leśne dzieci ulicy. Te z nich, które posadzono bezpośrednio przy ulicach, najlepiej ukazują sens tego określenia. Przez pierwsze dekady życia nie różnią się niczym od swych gatunkowych krewniaków w parku. Są rozpieszczane i pielęgnowane, czasem nawet mają własne, specjalnie założone wodociągi, z których czerpią wodę. Ale gdy ich korzenie chcą się dalej rozrastać, przeżywają niemiłe zaskoczenie. Bo gleba pod jezdnią czy chodnikiem jest o wiele twardsza, gdyż ubito ją dodatkowo za pomocą zagęszczarek. Bolesne to przeżycie, ponieważ korzenie leśnych drzew zasadniczo nie wnikają głęboko w glebę. Rzadko który gatunek dociera dalej niż półtora metra w głąb, w większości wypadków eksploracja kończy się o wiele wcześniej. W lesie nie stanowi to problemu, w końcu będąc drzewem, można niemal w nieskończoność rozrastać się na boki. Jednak nie przy krawężniku. Tu wzrost ogranicza jezdnia; pod chodnikiem zaś są przewody i ziemia ubita wskutek kładzenia instalacji. Nic więc dziwnego, że na takich stanowiskach ciągle dochodzi do konfliktów. Platany, klony bądź lipy chętnie wrastają pod ziemią w rury kanalizacyjne. To, że zakłócają przez to działanie systemu, zauważamy najpóźniej po pierwszej burzy, kiedy ulice stoją pod wodą. Specjaliści badają wówczas, pobierając próbki korzeni, które drzewo zatkało rury. Jego wypad do pozornego raju pod trotuarem karany jest śmiercią – zostanie ścięte, a jego następcy wbuduje się barierę korzeniową, by zapobiec naśladownictwu. Przez długi czas miejscy inżynierowie przypuszczali, że to wilgoć przesączająca się z nieszczelnych złączy lub zawarte w ściekach składniki odżywcze przyciągają korzenie z magiczną siłą. Szeroko zakrojone badania Uniwersytetu Ruhry z Bochum wykazały jednak zupełnie inne przyczyny. Korzenie w rurach rosły ponad lustrem wody i nie wyglądały też na zainteresowane nawozem. Chodziło o luźną glebę, która podczas prac budowlanych nie została starannie ubita. Tu korzenie mogły oddychać i miały miejsce do swobodnego rośnięcia. Tylko przy okazji wrastały w uszczelnienia między poszczególnymi odcinkami przewodów, a następnie rozrastały się wewnątrz nich[45]. Ostatecznie okazuje się więc, że jest to bezwzględne działanie w stanie wyższej konieczności, kiedy drzewa na terenie ludzkich osiedli wszędzie natrafiają na twardą jak beton ziemię i w końcu znajdują ratunek w niechlujnie zasypanych rowach. I wtedy przysparzają nam, ludziom, problemów. Pomocy można udzielić tylko rurom, które teraz kładzie się w wyjątkowo mocno ubitej ziemi, by korzenie nie zdołały się tam zapuścić. Dziwi was jeszcze, że w czasie letnich burz na ulicach przewraca się wyjątkowo dużo drzew? Ich mizerny podziemny system kotwiczenia, który w naturze mógłby się rozrosnąć na ponad siedmiuset metrach kwadratowych, nie jest w stanie utrzymać kilkutonowych pni na stanowisku skurczonym do kilku procent pierwotnej powierzchni. Ale nieustępliwe rośliny muszą znieść dużo więcej. Miejski mikroklimat kształtowany jest przez gromadzące ciepło asfalt i beton. Lasy w gorące lata ochładzają się nocami, ulice i budynki natomiast wypromieniowują ciepło i podnoszą tym samym temperaturę powietrza. W rezultacie oznacza to skrajnie suche powietrze, obciążone dodatkowo mnóstwem spalin. Brakuje tu kilku towarzyszy drzew, którzy w lesie troszczą się o ich dobre samopoczucie (takich jak rozkładające próchnicę drobne organizmy). Również grzyby mikoryzowe, pomagające korzeniom w gromadzeniu wody i składników odżywczych, są obecne w minimalnym stopniu. Miejskie drzewa muszą więc samotnie w niezwykle ciężkich warunkach walczyć o przetrwanie. Jakby tego było mało, dochodzi jeszcze niepożądane nawożenie. Przede wszystkim przez psy, które podnoszą łapę przy każdym dostępnym drzewie. Mocz może przeżreć korę i doprowadzić do obumarcia korzeni. Podobne szkody powoduje sypana zimą sól, której ilość w zależności od surowości zimy może wynosić ponad kilogram na metr kwadratowy i która obciąża glebę. Ponadto liście drzew iglastych, tkwiące zimą na gałęziach, muszą się uporać z tak zwanym aerozolem solnym, wzbijanym w powietrze przez koła samochodów. Tak czy owak dziesięć procent soli ląduje w powietrzu i osadza się między innymi na drzewach, powodując poparzenia chemiczne. Te bolesne uszkodzenia można rozpoznać jako malutkie żółte i brązowe punkciki na igłach. Zranione miejsca zmniejszą zdolność do fotosyntezy i osłabią przez to drzewa iglaste już w czasie najbliższego lata.

Słabość to hasło wywoławcze dla pasożytów. Uderzenie czerwców i mszyc tym łatwiej się powiedzie, im bardziej ograniczone będą siły obronne ulicznych drzew. Do tego trzeba dodać wyższe temperatury na terenie miast. Gorące lato i ciepła zima sprzyjają owadom, które mnożą się w większych ilościach. Pewien gatunek stale trafia na czołówki mediów, bo zagraża ludziom – korowódka dębówka. Swą nazwę motyl zawdzięcza temu, że jego gąsienice po żerowaniu w koronach drzew schodzą po pniach długimi rzędami, jedna za drugą. Przed drapieżnikami chronią je gęste oprzędy, w których przechodzą linienie podczas wzrostu. Małe zmory sieją strach z powodu swych włosków parzących, które przy dotknięciu odrywają się i wbijają w skórę. Podobnie jak pokrzywy wywołują one swędzenie i obrzęk, mogą też spowodować gwałtowne reakcje alergiczne. Włoski parzące pustych wylinek pozostają w oprzędach i nie tracą mocy przez dekadę. Na obszarze miasta pojawienie się tych owadów może zepsuć całe lato, a przecież nie są one właściwie niczemu winne. Korowódka dębówka w naturze jest raczej rzadka. Jeszcze kilkadziesiąt lat temu znajdowała się w Czerwonej Księdze (spisie gatunków zagrożonych wyginięciem), a dziś wszyscy chcieliby się jej pozbyć. Masowe pojawy tego motyla są przy tym stale opisywane od ponad dwustu lat. Federalny Urząd Ochrony Przyrody wiąże owe rozmnożenia masowe nie ze zmianami klimatu i wzrastającymi temperaturami, lecz z atrakcyjną dla korowódek ofertą żywieniową[46]. Uwielbiają ciepłe, przesycone słońcem korony drzew.

W środku lasu to prawdziwa rzadkość, bo tam pojedyncze dęby rosną pośród buków i wystawiają na światło co najwyżej czubki górnych gałęzi. W mieście natomiast drzewa rosną luzem i przez cały dzień się nagrzewają – gąsienice naprawdę czują się tu znakomicie. A ponieważ cały „las" na terenie ludzkich skupisk oferuje optymalne warunki, nie może dziwić, że dochodzi do masowych rozmnożeń. Koniec końców nie są one niczym innym niż mocnym sygnałem, że dęby i inne gatunki przy ulicach oraz pomiędzy domami muszą prowadzić ciężką walkę o życie.

Podsumowując, obciążenia dla drzew są tak duże, że większość z nich nie ma szans się zestarzeć. I nawet to, że w młodości mogą pozwalać sobie na wszystko i robić, co im się żywnie podoba, nigdy nie równoważy wad tego przedsięwzięcia. Dobrze chociaż, że mogą podzielić się troskami z krewniakami, bo często są sadzone w formie alej złożonych z drzew tego samego gatunku. Typowe są tu platany, wpadające w oko dzięki urodziwej, wielobarwnej korze, która złuszcza się płatami. A o czym sobie opowiadają dzieci ulicy za pomocą przekazów zapachowych, czy dostosowują ton wiadomości do surowego życia, jakie wiodą – o tym na razie się nie dowiemy, bo uliczne gangi zachowują te sekrety dla siebie.

WYPALENIE

Dzieci ulicy nigdy nie zaznają przytulności lasu. Uwięzione na swych stanowiskach, nie mają wyboru. Istnieje jednak kilka gatunków drzew, które gwiżdżą na cały ten komfort i opiekuńczą społeczność i – dziwnie się w zasadzie zachowując – biorą nogi za pas. To tak zwane pionierskie gatunki drzew (od razu lepiej brzmi), które życzą sobie rosnąć możliwie najdalej od mamy. Z tego powodu ich nasiona potrafią lecieć wyjątkowo daleko. Są maciupeńkie i albo opakowane w puch, albo zaopatrzone w maleńkie skrzydełka, dzięki czemu gwałtowna burza może je zanieść wiele kilometrów dalej. Ich celem jest wylądowanie poza lasem i zdobycie nowych terenów. Potężne osuwisko, niedawny wybuch wulkanu i olbrzymie pola popiołów, pogorzeliska – wszystko się nada, byle tylko nie było żadnych dużych drzew. I ma to uzasadnienie – gatunki pionierskie nienawidzą cienia. Zahamowałby ich parcie wzwyż, a kto wolno rośnie, ten już przepadł. Bo między pierwszymi osiedleńcami rozgorzeje walka o miejsce pod słońcem. Do ich rzutkich przedstawicieli należą różne gatunki topoli, na przykład osika, ponadto brzozy brodawkowate, zwane też zwisłymi, czy wierzby iwy. Przyrosty wierzchołkowe młodziutkich buków i jodeł mierzy się w milimetrach rocznie, analogiczne przyrosty pionierów wynoszą czasem więcej niż metr. Już po dziesięciu latach szumiące na wietrze zagajniki rosną na dawnych ugorach. Najpóźniej w tym momencie większość sprinterów zakwita, by za pomocą nasion zrobić skok na nowe obszary. Przy okazji mogą również opanować ostatnie niezagospodarowane zakątki w otoczeniu. Niezabudowane tereny odznaczają się jednak zawsze pewną atrakcyjnością dla roślinożerców. Bo tu swą szansę wykorzystują nie tylko drzewa, lecz również rośliny i zioła, które w zwartym lesie są poszkodowane. A te rośliny przyciągają sarny, jelenie bądź też w dawniejszych czasach dzikie konie, tury i żubry. Trawy są nastawione na ciągłe spasanie i nawet są wdzięczne, że przy okazji zniszczeniu ulegają zagrażające im drzewne latorośle. Wiele krzewów, które z chęcią wyrosłyby ponad trawy, wykształciło dla obrony przed żarłocznymi zwierzętami groźne kolce. Tarnina na przykład jest do tego stopnia bezlitosna, że ostre wyrostki obumarłych przed laty roślin potrafią jeszcze przekłuć kalosze, a nawet opony samochodowe, nie mówiąc już o skórze i kopytach zwierząt.

Drzewa pionierskie próbują się bronić w inny sposób. Prędki wzrost oznacza również szybkie powiększanie średnicy pnia, który sprawia sobie grubą, chropowatą korę. U brzozy można poznać to po tym, że gładka biała kora pęka, tworząc czarne listwy. Z twardym materiałem przegrywają zęby roślinożerców, poza tym nie smakuje im tkanka przesycona olejami. To zresztą jest także powodem, dla którego brzozowa kora świetnie się pali również w stanie świeżym i dobrze nadaje na rozpałkę (w tym celu jednak zdziera się tylko zewnętrzną warstwę, by nie zranić drzewa). Kora kryje w sobie jeszcze jedną niespodziankę. Biały kolor zawdzięcza betulinie, organicznemu związkowi chemicznemu, który występuje w korze w znacznych ilościach. Biel odbija światło, chroniąc pień przed zgorzelą słoneczną. Oprócz tego zapobiega rozgrzaniu w cieple zimowego słońca, co może doprowadzić do pękania pozbawionych ochrony drzew. Brzozy jako drzewa pionierskie rosną często samotnie na otwartej przestrzeni i nie mają sąsiadów, którzy rzucaliby na nie cień, dlatego takie rozwiązanie jest rozsądne. Betulina ma ponadto działanie antywirusowe i antybakteryjne, co zostało wykorzystane w medycynie. Jest ona również składnikiem wielu produktów do pielęgnacji skóry[47]. Największym zaskoczeniem jest jej ilość. Kto, będąc drzewem, wytwarza dużą część kory z substancji obronnych, ten ciągle znajduje się w stanie gotowości alarmowej. Nie istnieje starannie wypracowana równowaga między wydatkami na wzrost i na leczenie, lecz na wszystkich frontach działa się z największą energią. Dlaczego właściwie każdy gatunek drzewa tak nie postępuje? Czy nie byłoby sensowne, by zasadniczo tak być przygotowanym na atak, że agresor wyzionąłby ducha już przy pierwszym kęsie? Dla gatunków społecznych nie jest to opcja godna rozważenia, bo każdy osobnik ma za sobą wspólnotę, a ta w razie potrzeby zatroszczy się o niego, w porę ostrzeże, nakarmi w biedzie i chorobie. Oszczędzają przez to energię, którą mogą zainwestować w drewno, liście i owoce.

To jednak nie jest przypadek brzozy, która zdana wyłącznie na siebie, chce się przebijać przez życie. Jednak także ona wytwarza drewno, i to nawet o wiele szybciej niż inne drzewa, również ona chce i potrafi się rozmnażać. Ale skąd bierze na to energię? A może ten gatunek prowadzi skuteczniejszą fotosyntezę od innych? Nie, tajemnica tkwi w tym, że spala się bez reszty. Brzozy pędzą przez życie jak szalone, żyją przy tym ponad stan i koniec końców doprowadzają się do całkowitego wycieńczenia. Lecz zanim przyjrzymy się skutkom takiego postępowania, pozwólcie, bym przedstawił wam innego niespokojnego ducha – osikę, zwaną też topolą drżącą. Nazwę zawdzięcza liściom, które reagują już na najlżejszy podmuch wiatru. I chociaż we frazeologizmach połączyliśmy tę cechę ze strachem („trzęsie się jak osika"), to jednak drzewo się nie boi. Zawieszone na specjalnych ogonkach listki trzepocą na wietrze, wystawiając do światła to swoją dolną, to górną stronę. W ten sposób mogą prowadzić fotosyntezę na obu powierzchniach – w przeciwieństwie do innych gatunków, u których dolna strona jest zarezerwowana do oddychania. Osiki są w stanie przez to produkować więcej energii, a nawet rosnąć szybciej niż brzozy. Wobec drapieżników topola drżąca przyjęła zupełnie inną strategię i postawiła na nieustępliwość oraz masę. Nawet jeśli sarny lub bydło obgryzają ją przez całe lata, to i tak jej system korzeniowy powoli się rozrasta. Puszczają się z niego setki odrostów, które w miarę upływu lat zamieniają się w prawdziwy gąszcz. Jedno drzewo potrafi się w ten sposób rozprzestrzenić na kilkuset kilometrach kwadratowych – a w skrajnych przypadkach na dużo większej powierzchni. W parku narodowym Fishlake National Forest w stanie Utah topola osika rozrosła się przez tysiące lat na przestrzeni ponad czterystu tysięcy metrów kwadratowych i wytworzyła ponad czterdzieści tysięcy pni. Organizm ten, który wygląda jak spory las, został ochrzczony mianem „Pando" (od łacińskiego *pandere* – „rozprzestrzeniać się")[48]. Wprawdzie w mniejszym rozmiarze, ale jednak możecie zobaczyć coś takiego w rodzimych lasach i na polach. Jeżeli gąszcz stanie się wystarczająco zbity i gęsty, to pojedyncze pnie mogą bez przeszkód strzelać w górę i w ciągu dwudziestu lat stać się dużymi drzewami.

Bezustanna walka i szybki wzrost mają jednak swoją cenę. Po pierwszych trzech dekadach pojawia się wyczerpanie. Pędy szczytowe, miernik żywotności gatunków drzew pionierskich, są coraz mizerniejsze. To jeszcze nie byłoby najgorsze, jednak pod topolami, brzozami i wierzbami czai się katastrofa. Wiele niewykorzystanego światła dociera przez ich korony do ziemi, przez co później przybyłe gatunki mogą zapuścić tu korzenie. To powolniejsze klony, buki, graby bądź też jodły, które i tak wolą spędzać dzieciństwo w cieniu. Niechcący zapewniają go właśnie pionierzy, podpisując tym samym na siebie wyrok śmierci. Teraz bowiem zaczyna się wyścig, którego nie wygrają. Obca drzewna dziatwa powoli dorasta i po kilku dziesięcioleciach dogania wreszcie dawców cienia. Ci zresztą są tymczasem wypaleni, całkowicie wyczerpani i maksymalnie na wysokości dwudziestu pięciu metrów przestają rosnąć. Dla buków i spółki to nic nie znaczy, dlatego przebijają się przez ich korony i radośnie rosną ponad nimi. A ponieważ jako gatunki cieniolubne zdecydowanie lepiej spożytkowują światło, dla pokonanych brzóz i topoli już go nie starcza. Jednak uciemiężeni jeszcze się bronią, zwłaszcza brzozy brodawkowate wypracowały strategię, która pozwala przynajmniej przez kilka lat utrzymać uciążliwą konkurencję pod kontrolą. Jej cienkie, długie, zwisające gałęzie działają jak bicze, którymi już przy najlżejszym wietrze zaczyna smagać wokół siebie. Uszkadza przy tym korony obcych gatunków w sąsiedztwie, młóci ich liście oraz pędy i w ten sposób przynajmniej na krótką metę hamuje ich wzrost. Podnajemcy w końcu prześcigną brzozy i topole i od tego momentu wszystko pójdzie już stosunkowo szybko. Jeszcze tylko parę lat, a ostatnie rezerwy się wyczerpią i drzewa umrą, i zmienią się w próchnicę.

Jednak nawet bez ostrej konkurencji innych gatunków ich życie skończy się po – jak na leśne drzewa – krótkim czasie. Bo wraz ze spowolnieniem wzrostu maleje również odporność na ataki grzybów. Wystarczy ułamany gruby konar, by otworzyła się przed nimi brama wejściowa. A ponieważ drewno składa się z dużych, szybko wytworzonych komórek, które zawierają dużo powietrza, destrukcyjnie działająca grzybnia może się prędko rozprzestrzenić. Pień butwieje w szalonym tempie, że zaś pionierskie gatunki drzew często rosną same, bez towarzyszy, nie potrwa długo, póki najbliższa jesienna burza go nie obali. Dla gatunku jako takiego nie jest to jakaś tragedia. Swój cel, jakim jest szybka ekspansja, prędkie dojrzewanie płciowe i rozmnożenie się, dawno już osiągnął.

NA PÓŁNOC!

Drzewa nie potrafią chodzić, każdy o tym wie. Niemniej pozostaje faktem, że mimo to muszą wędrować. Tylko jak to zrobić, jeśli nie umie się chodzić? Klucz do rozwiązania zagadki tkwi w zmianie pokoleń. Każde drzewo musi spędzić życie w miejscu, w którym kiedyś siewka zapuściła korzenie. Ale może się rozmnażać i w ciągu tej krótkiej chwili, kiedy zarodki drzewa śpią jeszcze opakowane w nasiona, są wolne. Gdy tylko opadną z drzewa, podróż może się rozpocząć. Niektórym gatunkom bardzo się spieszy. Wyposażają swe potomstwo w delikatne włoski, by leciutkie jak piórko mogły odlecieć z pierwszym podmuchem wiatru. Gatunki stosujące tę strategię muszą wytworzyć maleńkie ziarenka, aby zapewnić im niezbędną lekkość. Topole i wierzby produkują takich maciupeńkich lotników i są w stanie wysłać ich w wielokilometrową podróż. Atut większego zasięgu jest jednak okupiony tą wadą, że nasionka niemal nie zawierają substancji zapasowych. Kiełkująca siewka musi szybko samodzielnie się odżywiać i dlatego jest bardzo podatna na niedobory składników pokarmowych czy suszę. Nieco cięższe są nasiona brzóz, klonów, grabów, olch i drzew iglastych. Lot w futrze nie wchodzi już w grę i dlatego drzewa wyposażają swe owoce w odpowiedni sprzęt do latania. Niektóre gatunki, na przykład drzewa iglaste, konstruują prawdziwe śmigła, bardzo mocno spowalniające opadanie. Jeśli jeszcze dojdzie do tego burza, dystans przelotu może wynieść dobrych kilka kilometrów. Takiej odległości nie będą nigdy w stanie przebyć gatunki o ciężkich owocach – dęby, kasztanowce czy buki. Dlatego rezygnują w zupełności z wszelkich pomocy mechanicznych i zamiast tego zawierają przymierze ze światem zwierząt. Myszy, wiewiórki i sójki uwielbiają oleiste i bogate w skrobię nasiona. Utykają je w leśnej glebie w charakterze zapasów na zimę, a potem często wcale ich nie szukają bądź nie potrzebują. Czasem też głodny puszczyk zadba o to, by mysz leśna* skończyła jako jego obiad. Tylko w ten sposób małe gryzonie mogą wyświadczyć przysługę drzewnym latoroślom, ale tak czy owak jest ona minimalna. Zwierzęta nierzadko zakładają swą zimową spiżarnię bezpośrednio u stóp potężnego buka, którego bukiew zbierają. Pomiędzy nasadą korzeni często tworzą się niewielkie suche jamki, które bez trudu znajdują lokatorów. Jeśli do takiej jamki wprowadzi się mysz, przed wejściem znajdziecie kupki łupinek po wyjedzonych orzeszkach bukowych. Mały gryzoń założy jeszcze co najmniej parę spiżarek w leśnej

---

* Od 2015 roku znana zoologom pod nazwą myszarki leśnej – zob. https://pl.wikipedia.org/wiki/Myszarka_le%C5%9Bna, dostęp: 15 maja 2016.

glebie w promieniu paru metrów, zapasy te wykiełkują po śmierci myszy następnej wiosny i zapoczątkują nowy las.

Najdłuższy dystans zawodnicy wagi ciężkiej mogą przebyć przy pomocy sójki. W końcu transportuje ona żołędzie i bukiew na odległość paru kilometrów. Wiewiórki przeniosą je tylko paręset metrów dalej, a mysie zapasy zagrzebane są najdalej dziesięć metrów od drzewa. Szybkość nie jest więc mocną stroną gatunków o ciężkich owocach! Za to duży zapas składników odżywczych tworzy poduszkę, dzięki której siewka bez trudu może przetrwać pierwszy rok.

Topole i wierzby mogą więc o wiele szybciej podbijać nowe terytoria, jak na przykład wtedy, gdy wybuch wulkanu rozdaje karty na nowo i każe wszystkim zaczynać od zera. A ponieważ nie żyją zbyt długo i do tego przepuszczają wiele światła na ziemię, pojawiające się później gatunki drzew również wyjdą na swoje. Ale po co w ogóle te wędrówki? Czy nie można by, będąc lasem, pozostać po prostu tam, gdzie się właśnie jest i gdzie jest miło i przyjemnie? Podbój nowych terytoriów jest konieczny przede wszystkim dlatego, że stale zmienia się klimat. Naturalnie bardzo powoli, w ciągu wielu stuleci, jednak wreszcie nadchodzi czas, w którym mimo wszelkiej elastyczności jest już zdecydowanie za ciepło, za zimno, za sucho lub zbyt mokro dla danego gatunku. Musi wówczas ustąpić innym, a to oznacza wędrówkę. W tej chwili dokonuje się ona w naszych lasach. Powodem jest nie tylko obecna zmiana klimatu, której zawdzięczamy podwyższenie średniej temperatury o jeden stopień Celsjusza, lecz i przejście ostatniej epoki lodowej w okres ocieplenia. Zwłaszcza epoki lodowe kryją w sobie niemiłe niespodzianki. Jeśli przez stulecia robi się coraz zimniej, to gatunki drzew muszą się wycofać bardziej na południe. Przy fazie przejściowej dokonującej się z wolna w ciągu kilku pokoleń przesiedlenie w region śródziemnomorski kończy się sukcesem. Jeśli jednak lodowiec szybciej postępuje, to przetacza się przez lasy, pochłaniając maruderów. Na przykład przed trzema milionami lat można było spotkać w naszych lasach obok dziś jeszcze występujących buków zwyczajnych również buki wielkolistne. Naszemu bukowi udał się przeskok do południowej Europy, ale powolniejszy buk wielkolistny u nas wymarł. Jedną z przyczyn były Alpy. Stanowią naturalną barierę, która zagradza drzewom drogę ucieczki. Chcąc ją pokonać, musiały się osiedlać w wysoko położonych rejonach, by potem znowu schodzić na niziny. Jednak wyżej położone stanowiska są zbyt zimne nawet w okresach ocieplenia, tak więc los wielu gatunków drzew zakończył się na górnej granicy lasu. Buki wielkolistne występują dziś jeszcze wyłącznie na wschodzie Ameryki Północnej. Mogły tam przetrwać, ponieważ na tym kontynencie nie ma ciągnących się ze wschodu na zachód gór tarasujących drogę. Drzewa mogły bez przeszkód wycofać się na południe, a po zakończeniu epoki lodowej ponownie rozprzestrzenić się na północ.

Naszemu bukowi zwyczajnemu udało się jednak wraz z paroma innymi gatunkami drzew przeszwarcować przez Alpy i w osłoniętych miejscach przetrwać aż do obecnego okresu ocieplenia. W ciągu ostatnich kilku tysięcy lat przed tymi stosunkowo niewieloma gatunkami otworzyła się wolna droga i do dzisiaj posuwają się one w nieustępliwym marszu na północ, jakby cały czas tropem topniejącego lodu. Gdy tylko trochę się ocieplilo, przed kiełkującymi siewkami znów pojawiły się dobre perspektywy, dorosły i rozsiały nowe nasiona, sunąc kilometr za kilometrem na północ. Przeciętna prędkość takiej podróży wynosi zresztą czterysta metrów – na rok. Buki zwyczajne są przy tym wyjątkowo powolne. Ich nasiona nie są tak często jak żołędzie przenoszone przez sójki, inne zaś gatunki rozprzestrzeniają się same za pomocą wiatru i o wiele szybciej zagospodarowują wolne połacie ziemi. Gdy flegmatyczny buk zwyczajny powrócił na dawne tereny przed mniej więcej czterema tysiącami lat, w lesie rozrosły się już dęby i leszczyny. Nie przeszkadzało mu to, gdyż ma własną strategię, którą już znacie. O wiele lepiej od innych drzew znosi zacienienie, tak więc bez problemów może kiełkować u ich stóp. Ta znikoma resztka światła, jaką przepuszczają dęby i leszczyny, wystarczyła maleńkim zdobywcom do tego, by bezustannie rosnąć ku górze i pewnego dnia przebić się przez korony rywali. I stało się to, co się stać musiało – buki przerosły wcześniej przybyłe gatunki drzew i zabrały im światło niezbędne do życia. Nieznający litości triumfalny pochód na północ dotarł obecnie do południowej Szwecji, ale jeszcze się nie skończył. Albo też – jeszcze by się nie skończył, gdyby nie interwencja człowieka. Wraz z przybyciem buków nasi przodkowie zaczęli zmieniać leśny ekosystem na ogromną skalę. Karczowali wszystkie drzewa wokół swych osad, by zdobyć miejsce pod uprawę. Na potrzeby bydła trzebiono kolejne połacie lasu, a ponieważ miejsca ciągle było mało, wyganiano po prostu krowy i świnie do lasu. Dla buków była to prawdziwa katastrofa, bo ich potomstwo spędza przecież stulecia blisko ziemi, zanim będzie mu wolno urosnąć. Ich pączki wierzchołkowe są w tym czasie całkowicie bezbronne wobec roślinożerców. Pierwotnie liczba ssaków w lesie była ekstremalnie niska, bo taki las niewiele ma do zaoferowania, jeśli chodzi o pokarm. Przed pojawieniem się na scenie człowieka szanse na przeczekanie w spokoju dwustu lat bez uszczerbku na zdrowiu były bardzo duże. Teraz jednak w lesie wciąż zjawiali się pasterze wraz z głodnymi stadami bydła, które rzucało się na smakowite pączki. W przetrzebionych wskutek wyrębu drzewostanach mogły się przebić inne gatunki drzew, wcześniej zdominowane przez buki. Bardzo to utrudniło wędrówkę buka w epoce polodowcowej i do dzisiaj nie jest on w stanie zasiedlić niektórych obszarów. W ostatnich stuleciach doszły jeszcze polowania, które w paradoksalny sposób znacznie zwiększyły pogłowie jeleni, dzików i saren. Obfite ich dokarmianie przez myśliwych, zainteresowanych przede wszystkim mnożeniem się noszących poroża byków, spowodowało, że stada ogromnie się rozrosły, osiągając pięćdziesięciokrotność naturalnego poziomu. Na obszarze niemieckojęzycznym mamy obecnie największe na świecie pogłowie roślinożerców, tak więc małe buczki znajdują się w największych jak dotąd tarapatach. Również gospodarka leśna ogranicza ich rozprzestrzenianie się. Na południu Szwecji, gdzie zasadniczo buk czułby się jak u siebie w domu, rozciągają się plantacje świerków i sosen. Z wyjątkiem kilku pojedynczych drzew nie ma po nim śladu, lecz trwa w gotowości. Gdy tylko człowiek wycofa się z gry, natychmiast ponownie podejmie wędrówkę na północ.

Najpowolniejszym wędrowcem jest jodła pospolita, nasz jedyny rodzimy gatunek jodły. Zwana jest też jodłą białą, którą to nazwę zawdzięcza jasnoszarej korze, przez co łatwo ją odróżnić od świerka (o korze czerwonobrązowej). Jodła pospolita – jak większość gatunków drzew – przetrwała epokę lodową na południu Europy, prawdopodobnie we Włoszech, na Bałkanach i w Hiszpanii[49]. Stamtąd powędrowała śladem innych drzew, ale z prędkością jedynie trzystu metrów na rok. Świerki i sosny wyprzedziły ją, bo ich nasiona są wyraźnie lżejsze i potrafią lepiej fruwać. Nawet buk ze swą ciężką bukwią był szybszy dzięki sójkom. Najwyraźniej jodła źle wybrała strategię, bo jej nasionka nie potrafią dobrze latać, mimo że są wyposażone w malutki żagielek, są zaś zbyt małe, by nadawały się do rozprzestrzeniania przez ptaki. Istnieją wprawdzie gatunki, które jedzą nasiona jodły, ale drzewom iglastym niewiele z tego przychodzi. Przykładowo, orzechówka zwyczajna, która zresztą woli nasiona sosny limby, zbiera nasiona jodły i gromadzi je w składzikach. Jednak w przeciwieństwie do sójki, która wtyka w ziemię żołędzie i bukiew gdzie popadnie, orzechówka chowa swe zapasy w bezpiecznych, suchych miejscach. Nawet jeśli o nich zapomni, to i tak z braku wody nie wykiełkują. Jodły pospolite są więc naprawdę w bardzo trudnej sytuacji. Podczas gdy większość naszych rodzimych gatunków wędruje tymczasem po Skandynawii, jodła dotarła dopiero w Góry Harcu. Czym jednak jest dla drzew kilkaset lat opóźnienia? Bądź co bądź jodły dobrze znoszą głęboki cień i mogą rosnąć nawet pod bukami. W ten sposób potrafią stopniowo torować sobie drogę w starych lasach i stać się w końcu potężnymi drzewami. Ich piętą achillesową jest jednak ich smakowitość, przynajmniej zdaniem saren i jeleni, które blokują ich dalsze rozprzestrzenianie się, wyjadając w wielu miejscach wszystkie latorośle jodły.

Dlaczego właściwie buk w środkowej Europie jest tak odporny na konkurencję? Albo inaczej: skoro tak dobrze radzi sobie w walce ze wszystkimi innymi gatunkami, dlaczego nie rozprzestrzenił się po całym świecie? Odpowiedź jest prosta. Jego zalety sprawdzają się tylko w obecnych warunkach klimatycznych, na które tutaj wpływa względna bliskość Atlantyku. Temperatury, abstrahując od gór (gdzie buki nie występują w wysokich partiach), są bardzo wyrównane. Po chłodnych latach następują łagodne zimy, a opady sięgają od pięciuset do tysiąca pięciuset milimetrów rocznie, co bukom odpowiada. Woda jest jednym z kluczowych czynników koniecznych do wzrostu lasów, i tu buki mają przewagę. Do wyprodukowania kilograma drewna potrzebują stu osiemdziesięciu litrów wody. Czy to dużo? Większość innych gatunków drzew potrzebuje jej w tym samym celu prawie dwa razy tyle, czyli do trzystu litrów, co ma rozstrzygające znaczenie, jeśli chodzi o talent do szybkiego rośnięcia i wypierania innych gatunków. Na przykład świerki są pijakami z natury, bo w ich zimnej i wilgotnej strefie komfortu na dalekiej północy brak wody jest pojęciem ze słownika wyrazów obcych. Tu, w środkowej Europie, takie warunki mogą zaoferować jedynie wysoko położone rejony, tuż pod górną granicą lasu. Opady są tu obfite, a za sprawą niskich temperatur parowanie jest bardzo słabe. Można więc sobie pozwolić na rozrzutne gospodarowanie wodą. Jednak na większości niżej położonych terenów wygrywają oszczędne buki, które również w suchszych latach potrafią porządnie podrosnąć i w ten sposób szybciutko przerosnąć o głowę marnotrawców. Potomstwo konkurencji dusi się przy ziemi, w grubych warstwach liści, przez które siewki buków przebijają się bez trudu. Zdolność maksymalnego wykorzystania światła, tak że dla innych gatunków nic już nie zostaje, buk łączy ze zdolnością samodzielnego zapewnienia sobie odpowiedniego mikroklimatu z wilgotnym powietrzem. Gdy dodamy umiejętność odłożenia porządnych zapasów próchnicy w glebie i zbierania wody konarami, zrozumiemy, dlaczego jest on u nas nie do pobicia. Ale właśnie jedynie u nas. Gdy tylko klimat nabierze nieco więcej kontynentalnych cech, gatunek ten zaczyna mieć problemy. Źle znosi powtarzające się gorące i suche lata oraz mroźne zimy i musi ustąpić innym gatunkom, na przykład dębom. Jeszcze lato dałoby się wytrzymać, ale podczas lodowatej zimy w Skandynawii buk nie ma czego szukać. A na słonecznym południu może zasiedlić tylko wyżej położone stanowiska, na których nie jest tak gorąco. Dlatego też w tej chwili buk, z uwagi na swe wymagania klimatyczne, jest więźniem środkowej Europy. Jednak zmiana klimatu powoduje ocieplenie na północy, tak więc w przyszłości może się zacząć rozprzestrzeniać w tym kierunku. Jednocześnie zrobi się dla niego ostatecznie zbyt gorąco na południu, wskutek czego cały jego zasięg przesunie się na północ.

WYSOCE ODPORNE

Dlaczego właściwie drzewa żyją tak długo? Mogłyby przecież postępować tak samo jak zioła, czyli rosnąć pełną parą w ciepłej porze roku, zakwitać, wytwarzać nasiona, a potem na powrót obracać się w próchnicę. Miałoby to jedną decydującą zaletę: każda zmiana pokoleń oznacza szansę na zmiany genetyczne. Mutacje szczególnie łatwo powstają podczas zapłodnienia lub krycia, a w ciągle zmieniającym się środowisku adaptacja jest konieczna do przetrwania. Przykładowo, myszy rozmnażają się w odstępie ledwie kilku tygodni, muchy są jeszcze szybsze. W procesach dziedziczenia bezustannie dochodzi do uszkodzeń genów, które w szczęśliwym przypadku mogą doprowadzić do pojawienia się szczególnej cechy. Zjawisko to w skrócie nazywa się ewolucją. Pomaga przy dostosowaniu się do zmiennych warunków środowiska i tym samym jest gwarantem przetrwania danego gatunku. Im krócej trwa wymiana pokoleń, tym szybciej zwierzęta i rośliny mogą się dostosować. Drzewa najwyraźniej gwiżdżą sobie na tę konieczność stwierdzoną naukowo. Dożywają matuzalemowego wieku, przeciętnie wielu setek lat, a czasem nawet tysiącleci. Naturalnie, rozmnażają się co najmniej raz na pięć lat, ale jednak nieczęsto wtedy dochodzi do prawdziwego dziedziczenia cech. Co komu przyjdzie z tego, że drzewo wyprodukuje setki tysięcy latorośli, jeśli nie przewidziano dla nich miejsca? Póki własna matka przechwytuje niemal całe światło, życia pod nią nie ma, o czym już mówiłem. Nawet jeśli drzewne dzieci wykazują nowe, genialne cechy, to i tak często muszą czekać całe stulecia, nim będą mogły po raz pierwszy zakwitnąć, a tym samym przekazać własne geny. Cała rzecz dzieje się po prostu o wiele za wolno. I w normalnych warunkach byłoby to nie do wytrzymania.

Jeśli przyjrzymy się bliżej nowszej historii klimatu, zauważymy, że cechuje go gwałtowne falowanie. Jak bardzo gwałtowne, o tym zaświadczył wielki plac budowy w Zurychu. Robotnicy natknęli się tam na względnie świeże pniaki, które najpierw, nie zastanawiając się, złożyli na uboczu. Tu znalazł je pewien leśnik, pobrał próbki i zlecił ustalenie wieku drzewa. Rezultat – pniaki należały do sosen, które rosły tam przed niemal czternastoma tysiącami lat. Jeszcze bardziej zdumiewające były jednak wahania temperatury w ówczesnym czasie. W obrębie ledwie trzydziestu lat temperatura spadała nawet o sześć stopni Celsjusza, tylko po to, by następnie równie gwałtownie się podnieść o podobną wartość. Odpowiada to najgorszemu z możliwych scenariuszy przewidywanych dla obecnej zmiany klimatu, która prawdopodobnie nas czeka przed końcem bieżącego stulecia. Już nawet ostatni wiek – lata czterdzieste o wyjątkowo mroźnych zimach, lata siedemdziesiąte z ich rekordową suszą, wreszcie o wiele za ciepłe lata dziewięćdziesiąte – był bardzo ciężki dla natury. Drzewa mogą stawić temu czoła ze stoickim spokojem z dwóch powodów. Po pierwsze, wykazują dużą tolerancję na klimat. Rodzimy buk rośnie na przykład od Sycylii po południową Szwecję – z wyjątkiem pierwszej litery w nazwie obszary te mają ze sobą niewiele wspólnego. Po drugie, brzozy, sosny i dęby są bardzo elastyczne. Jednak to zbyt mało, by dostosować się do wszystkich wymogów środowiska. A to dlatego, że wraz ze spadającymi temperaturami i nasilającymi się deszczami wiele gatunków zwierząt i grzybów rusza z południa na północ, i odwrotnie. Oznacza to, że drzewa muszą się dodatkowo nastawić na nieznane pasożyty. Ponadto klimat może tak mocno się zmienić, że nowe warunki przestaną być akceptowalne. I ponieważ drzewa nie mają nóg, by uciekać, ani też nie poproszą nikogo o pomoc, muszą same się z tym problemem uporać. Pierwszą możliwość mogą wykorzystać już na najwcześniejszym etapie życia. Tuż po zapłodnieniu, gdy w kwiecie dojrzewają nasiona, mogą one zareagować na warunki panujące w otoczeniu. Jeśli jest wyjątkowo ciepło i sucho, uruchamiają się odpowiednie geny. W przypadku świerków dowiedziono na przykład, że w takich warunkach ich siewki wykazują większą tolerancję na ciepło niż dotąd. Jednocześnie jednak drzewka w porównywalnym stopniu tracą odporność na mróz[50]. Dorosłe drzewa również mogą reagować. Jeżeli przetrwają okres suszy i niedobór wody, to w przyszłości będą wyraźnie oszczędniej obchodzić się z wilgocią i nie będą wysysać gleby do czysta już na początku lata. Liście i igły są organami, przez które wyparowuje większość wody. Jeśli drzewo zauważy, że pojawiają się trudności, a pragnienie staje się trwałym problemem, okrywa się grubszą skórą. Ochronna warstwa wosku na górnej stronie liści zostaje wzmocniona, warstwy zaś komórek skórki, które także działają uszczelniająco, odkładają się jedna nad drugą. W ten sposób drzewo uszczelnia grodzie, jednak nie może jednocześnie oddychać tak swobodnie jak dotąd.

Po wyczerpaniu opisanych możliwości do gry włącza się genetyka. Jak już wcześniej wyjaśniałem, wymiana pokoleń trwa u drzew ekstremalnie długo. Odpada więc szybkie dostosowanie się jako możliwa reakcja. Ale można też działać inaczej. W lesie naturalnym genomy drzew jednego gatunku wykazują dużą różnorodność. My, ludzie, mamy bardzo podobne do siebie geny – z ewolucyjnego punktu widzenia wszyscy jesteśmy ze sobą spokrewnieni. Buki w lokalnym drzewostanie są natomiast genetycznie tak od siebie odmienne, jak różne gatunki zwierząt. Dlatego każde drzewo wykazuje cechy bardzo zróżnicowane indywidualnie. Niektóre lepiej sobie radzą z suszą niż z zimnem, inne dysponują potężnymi siłami obronnymi przeciwko owadom, podczas gdy kolejni krewniacy są być może wyjątkowo niewrażliwi na mokre podłoże. Jeśli więc zmienią się warunki środowiskowe, ucierpią najpierw te egzemplarze, które z danym problemem radzą sobie najgorzej. Umrze kilka starych drzew, jednak pokaźna reszta lasu pozostanie. Jeżeli warunki znów się pogorszą, w ogóle może zginąć większa część drzew jednego gatunku, lecz nie okaże się to tragedią. Pozostały drzewostan będzie zwykle wystarczająco duży, by wytworzyć dostateczną ilość owoców oraz cienia dla przyszłych pokoleń.

Na podstawie dostępnych danych naukowych wyliczyłem kiedyś dla starych drzewostanów bukowych w moim rewirze, że nawet jeśli pewnego dnia zapanowałby u nas, w Hümmel, hiszpański klimat, to większość drzew powinna sobie z nim poradzić. Jedyny warunek jest taki, że nie może zostać zniszczona wskutek wyrębu struktura społeczna lasu, by mógł on nadal sam sobie regulować mikroklimat.

BURZLIWE CZASY

W lesie nie zawsze wszystko przebiega zgodnie z planem. Nawet jeśli ów ekosystem jest niebywale stabilny, nie dokonywały się w nim przez wiele stuleci żadne radykalne zmiany, to i tak katastrofa naturalna może weń brutalnie uderzyć z całą siłą. O zimowych zawieruchach już opowiadałem, a jeśli podczas takiego orkanu padają całe lasy świerkowe, to z reguły związane jest to ze sztucznym nasadzeniem świerków czy sosen. Rosną często na glebach uszkodzonych, zbitych wskutek działania maszyn, co powoduje, że ich korzenie z najwyższym trudem ją przerastają i drzewa nie mają porządnego oparcia. Ponadto te drzewa iglaste są u nas o wiele większe niż w ich pierwotnej ojczyźnie na północy Europy i zachowują igły również w zimie. Oznacza to dużą powierzchnię oddziaływania wiatru, do czego trzeba dodać długi pień działający jak dźwignia. Fakt, że słabe korzenie nie są w stanie tego wytrzymać, nie jest więc katastrofalny, lecz tylko po prostu logiczny.

Istnieją jednak zjawiska burzowe, w których również lasy naturalne zaznają szkód, przynajmniej miejscowo. To tornada, podczas których wirujące wiatry zmieniają kierunek w ciągu kilku sekund, przez co żadne drzewo nie jest w stanie przetrzymać takiego ataku. Ponieważ tornada często występują razem z burzami, które w naszych szerokościach geograficznych pojawiają się niemal wyłącznie latem, w grę wchodzi jeszcze jeden czynnik – o tej porze drzewa liściaste mają liście na gałęziach. W „normalnych" miesiącach burzowych, czyli od października do marca, buki i spółka mają nagie gałęzie i aerodynamiczne kształty. W czerwcu czy lipcu drzewa nie liczą się jednak z problemami tego rodzaju. Jeśli więc tornado śmignie wtedy przez las, to pochwyci korony i ukręci je z dziką siłą. Potrzaskane resztki pni sterczą później jako świadectwa ataku z powietrza i długo jeszcze dowodzą potęgi żywiołów.

Tornada są jednak bardzo rzadkie, tak że najwyraźniej z ewolucyjnego punktu widzenia nie opłaca się opracowanie związanej z nimi strategii obronnej. W związku z burzami o wiele częściej dochodzi do innego uszkodzenia, a mianowicie załamania się całych koron wskutek ulewy. Jeśli w ciągu paru minut na liściach lądują ogromne masy wody, to drzewo musi stawić czoła wielotonowemu obciążeniu. Na to drzewa liściaste nie są przygotowane. Typowy ciężar dodatkowy, jaki spada z góry, pojawia się zimą w formie śniegu i przelatuje przez gałęzie, bo przecież o tej porze roku liście już dawno opadły na ziemię. Latem problem ten nie występuje, a ze zwykłymi deszczami buk czy dąb bez trudu sobie poradzi. Nawet oberwanie chmury nie powinno być problemem, jeśli drzewo jest prawidłowo wyrośnięte.

Kłopoty zaczynają się dopiero wtedy, gdy pień lub konary są źle skonstruowane. Typowym niebezpiecznym błędem w budowie gałęzi jest „feralny konar", zwany też konarem wisielca, i tu nazwa mówi już sama za siebie. Prawidłowo rozwijająca się gałąź rośnie jak łuk. Wyrasta z pnia, kieruje się nieco ku górze, przyjmuje w dalszym przebiegu poziome położenie, a wreszcie lekko opada. W ten sposób może bez trudu, nie łamiąc się, amortyzować obciążenia nadchodzące z góry. Jest to szalenie ważne, bo w wypadku starszych drzew konary mogą mieć ponad dziesięć metrów długości. Pojawia się wskutek tego gigantyczna siła dźwigni, działająca na konar w miejscu wyrastania z pnia. Niektóre drzewa mimo wszystko wyraźnie nie mają ochoty trzymać się sprawdzonego wzorca. Ich gałęzie najpierw odrastają od pnia, by następnie wygiąć się łukiem do góry i zachować już ten kierunek. Jeśli takie konstrukcje wygną się w dół, nie ma mowy o amortyzacji, lecz dojdzie do złamania, bo spodnie włókna (jakby na łuku zewnętrznym) zostaną spęczone, wewnętrzne zaś naciągną się i zerwą. Niekiedy cały pień jest w tym sensie źle skonstruowany i ci kandydaci łamią się w ulewach podczas burzy. Ostatecznie to nic innego niż ostra selekcja, która eliminuje z wyścigu nierozsądne drzewa.

Czasami jednak drzewa absolutnie nie są winne temu, że nacisk z góry staje się zbyt duży. Przeważnie dzieje się tak w marcu i kwietniu, kiedy śnieg z puchu przeobraża się w zawodnika wagi ciężkiej. Po wielkości śnieżynek możecie ocenić stopień zagrożenia. Gdy osiągają wielkość dwueurówki*, sytuacja robi się krytyczna. Mamy bowiem wtedy do czy-

---

* Jej średnica wynosi 25,75 milimetra.

nienia z tak zwanym mokrym śniegiem, który zawiera dużo wody i jest bardzo lepki. Przylepia się do gałęzi, nie spada na ziemię i formuje się w wysokie, coraz cięższe czapy. Pod ich naciskiem łamie się wiele konarów dorosłych, potężnych drzew. Dużo tragiczniejsze skutki mokry śnieg wywołuje u podrostków. W trybie oczekiwania przypominają fasolowe tyki, mają małe korony i masy śniegu albo je łamią, albo też tak przyginają, że drzewka nie są w stanie na powrót się wyprostować. Zupełne maluchy nie są zaś zagrożone, bo ich pieńki są po prostu zbyt krótkie. Podczas spaceru do lasu zwróćcie uwagę na następującą rzecz – bezpośrednio pod drzewami w średnim wieku rośnie kilka, które wskutek takiego właśnie zjawiska pogodowego beznadziejnie się wykrzywiły.

Działanie podobne do śniegu ma szadź, ale jest dużo bardziej romantyczna. Przynajmniej w naszych oczach, bo cała przyroda wygląda wtedy jak powleczona kryształkami cukru. Gdy mgła pojawia się przy ujemnych temperaturach, wówczas delikatne kropelki przy zetknięciu z gałęzią czy igłą natychmiast na nich osiadają. Po kilku godzinach cały las tonie w bieli, mimo że nie spadł najmniejszy płatek śniegu. Gdy pogoda taka utrzyma się przez kilka dni, wtedy na koronach drzew mogą osiąść setki kilogramów szronu. A gdy słońce przebije się przez chmurę mgły, wszystkie drzewa błyszczą jak w bajce. Ale w rzeczywistości jęczą pod ciężarem i zaczynają się niebezpiecznie wyginać. Biada tym, w których drewnie występują słabe punkty. Słychać suchy trzask, niosący się po lesie niczym wystrzał z pistoletu, i cała korona wali się na ziemię.

Takie stany pogody zdarzają się średnio raz na dziesięć lat, co z punktu widzenia drzewa oznacza, że musi sobie z nimi poradzić do pięćdziesięciu razy w życiu. Niebezpieczeństwo jest dla niego tym większe, im słabiej jest zintegrowane ze społecznością drzew swego gatunku. Samotników, którzy pozbawieni jakiejkolwiek ochrony stoją pośród zimnego, mglistego powietrza, dotyka ono wyraźnie częściej niż okazy w gęstym lesie, które – otoczone siecią towarzyszy – mogą się na nich po sąsiedzku wesprzeć. Ponadto wówczas powietrze prześlizguje się raczej ponad koronami, tak że co najwyżej ich wierzchołki są pokryte grubym lodem.

Pogoda skrywa jednak w kołczanie kolejne strzały, na przykład pioruny. Może słyszeliście kiedyś powiedzonko odnoszące się do burzy w lesie: „Nie chowaj się pod dębami, schronu szukaj pod bukami"[*]. Zasadza się ono na tym, że na pniu niejednego poskręcanego, pokrytego guzowatymi naroślami dębu można zobaczyć kilkucentymetrowej szerokości listwy piorunowe, gdzie kora jest zdarta aż do samego drewna. Na pniach buków nie widziałem jeszcze czegoś takiego. Jednak wniosek, że pioruny nigdy nie uderzają w drzewa tego gatunku, jest równie błędny, jak niebezpieczny. Wielkie, stare buki w żadnym wypadku nie dają ochrony, bo pioruny biją w nie z równą częstością. Powodem, dla których nie pozostają na nich ślady zranień, jest przede wszystkim gładka kora. Podczas burzy leje deszcz, a spływając po pniu pozbawionym bruzd i pofałdowań, pokrywa

---

[*] Niemieckie przysłowie brzmi *„Eichen sollst du weichen, Buchen sollst du suchen"*. W Polsce tę poradę znają chyba tylko mieszkańcy Mazur (i jest ona ewidentnie kalką niemieckiego porzekadła).

go ciągłym filmem. Odprowadza on powierzchniowo elektryczność, ponieważ woda o wiele lepiej przewodzi prąd niż drewno. Dęby natomiast mają chropowatą korę. Spływająca woda tworzy małe kaskady i ścieka setkami wodospadów na ziemię. W ten sposób prąd pioruna stale jest przerywany, a najmniejszy opór stawia w tym wypadku wilgotne drewno zewnętrznych słojów, które są odpowiedzialne za transport wodny w drzewie. Z uwagi na dużą energię pęka ono wzdłużnie i jeszcze wiele lat później świadczy o tym, przez co przeszło drzewo.

Sprowadzone do nas północnoamerykańskie daglezje z ich grubą korą zachowują się podobnie. Jednak oprócz tego ich korzenie wydają się o wiele wrażliwsze. Już dwukrotnie zaobserwowałem w moim rewirze, że obumarło nie tylko drzewo trafione piorunem, ale jeszcze dziesięciu jego towarzyszy tego samego gatunku na obszarze piętnastu metrów wokół. Najwyraźniej byli powiązani pod ziemią z ofiarą burzy i w tym wypadku otrzymali od niej nie roztwór cukru, lecz śmiertelną dawkę energii.

Podczas burz z gwałtownymi wyładowaniami może się jeszcze zdarzyć coś innego – wybucha pożar. Przeżyłem kiedyś coś takiego w środku nocy, gdy straż pożarna wjechała do gminnego lasu, by ugasić nieduży ogień. Jego źródłem był stary, wypróchniały świerk, w którego wnętrzu płomienie znalazły ochronę przed strugami deszczu i w zbutwiałym drewnie buchały w górę. Szybko je ugaszono, ale i bez pomocy z zewnątrz niewiele by się stało. Las naokoło był straszliwie mokry, przeskok iskry na pozostałe drzewa był wysoce nieprawdopodobny. W naszych rodzimych lasach natura nie przewiduje pożarów. Dominujące niegdyś drzewa liściaste nie dadzą się zapalić, bo ich drewno nie zawiera żywicy ani olejków eterycznych. A wobec tego żaden gatunek drzewa nie wypracował mechanizmu reakcji na żar. O tym, że w ogóle istnieje coś takiego, świadczą dęby korkowe w Portugalii czy Hiszpanii. Gruba kora chroni je przed żarem z pożarów przyziemnych i po zażegnaniu niebezpieczeństwa pozwala wyrosnąć ukrytym pod nią pączkom.

W naszych szerokościach geograficznych ofiarami pożaru mogą paść co najwyżej monotonne plantacje świerków i sosen, których igły latem stają się suche jak pieprz. Ale po co w ogóle drzewa iglaste odkładają w korze i igłach tyle łatwopalnych substancji? Jeżeli na ich naturalnym obszarze występowania pożary są na porządku dziennym, powinny być raczej trudnopalne. Osiągnięcie podobnie zaawansowanego wieku jak u szwedzkich świerków w prowincji Dalarna, zdecydowanie przekraczającego osiem tysięcy lat, byłoby niemożliwe, gdyby przynajmniej raz na dwieście lat szalał wśród nich pożar. Myślę, że sprawcami podobnych zniszczeń lasu byli bezmyślni ludzie, którzy już od tysięcy lat mimowolnie wywołują takie katastrofy, rozpalając na przykład ogniska w celu przygotowania posiłku. Te kilka uderzeń pioruna, które faktycznie spowodowały małe, lokalne pożary, było taką rzadkością, że europejskie gatunki drzew nie przygotowały się na taką ewentualność. Słuchając doniesień o pożarach lasów, zwróćcie kiedyś uwagę na to, co było ich przyczyną – przeważnie w tym kontekście policja poszukuje ludzkich sprawców.

Nie tak niebezpieczne, jednak o wiele bardziej bolesne jest zjawisko, o którym długo sam nic nie wiedziałem. Nasza leśniczówka leży na górskim grzbiecie na wysokości niemal pięciuset metrów, a spływające wokół głębokimi wąwozami potoki krzywdy lasowi nie czynią, wręcz przeciwnie. Inaczej jednak rzecz wygląda w wypadku dużych rzek. Regularnie występują one z brzegów, dlatego też w ich pobliżu wykształciły się bardzo specyficzne ekosystemy – lasy łęgowe. To, jakie gatunki drzew mogą się tam osiedlić, zależy od rodzaju i częstotliwości wezbrań i powodzi. Jeśli wezbrana woda płynie szybko i utrzymuje się przez kilka miesięcy w roku, scenę zdominują wierzby i topole. Zniosą one długie stanie w mokrym podłożu. Takie warunki najczęściej występują tuż nad rzeką i tu tworzą się łęgi złożone z drzew o miękkim drewnie. Dalej od rzeki i często parę metrów powyżej powodzie rzadko już występują, a jeśli dochodzi do nich po wiosennych roztopach, to powstają wielkie jeziora, w których woda płynie wolno. Zwykle zdąży opaść do czasu puszczania liści i w tych warunkach świetnie sobie radzą dęby i wiązy. Zaliczają się do łęgów złożonych z drzew o twardym drewnie, czyli ekosystemu, który w przeciwieństwie do wierzb i topoli jest bardzo wrażliwy na letnie powodzie. Mogą wówczas zginąć drzewa cieszące się poza tym krzepkim zdrowiem, ponieważ dochodzi do zaduszenia korzeni.

Jednak prawdziwego cierpienia rzeka może przysporzyć zimą. Podczas wycieczki przez łęg o twardym drewnie nad środkową Łabą dostrzegłem, że na wszystkich pniach w lesie widać było ubytki kory. Wszystkie uszkodzenia znajdowały się na tej samej wysokości – mniej więcej dwóch metrów. Czegoś takiego jeszcze nie widziałem i łamałem sobie głowę, co tu się mogło stać. Inni uczestnicy wycieczki też niczego nie wymyślili, póki zagadki nie rozwiązał pracownik rezerwatu biosfery – sprawcą zranień był lód. Gdy Łaba

zamarzła podczas wyjątkowo mroźnych zim, powstały grube kry. A gdy na wiosnę powietrze i woda się rozgrzały, kry
ruszyły wraz z wezbranymi wodami między dęby i wiązy,
rozbijając się o pnie. Ponieważ poziom wody był wszędzie
jednakowy, wszystkie drzewa musiały doznać ran w tych
samych miejscach.

W związku ze zmianą klimatu ruszanie lodów na Łabie
przejdzie w którymś momencie do historii. Jednak przynajmniej starsze drzewa, które już od początku dwudzieste-
go wieku przeżywały najrozmaitsze kaprysy pogody, długo
jeszcze będą zaświadczać o tych wydarzeniach bliznami na
pniach.

NOWI OBYWATELE

Las stale się zmienia wskutek wędrówek drzew. I nie tylko las – cała natura. Z tego powodu nierzadko idą na marne starania człowieka o zachowanie niektórych krajobrazów. To, co widzimy, jest zawsze tylko krótkim epizodem w pozornym bezruchu. W lesie iluzja ta jest niemal idealna, ponieważ drzewa należą do najbardziej flegmatycznych organizmów w naszym otoczeniu. Zmiany w lasach naturalnych można zatem zaobserwować jedynie w ciągu wielu ludzkich pokoleń. Jedną z takich zmian jest pojawienie się nowego gatunku. Pierwszym badaczom podróżnikom, którzy przywozili do ojczyzny roślinne pamiątki, a w jeszcze większym stopniu nowoczesnej gospodarce leśnej zawdzięczamy sprowadzenie w wielkim stylu gatunków drzew, które same nigdy nie znalazłyby do nas drogi. Takie nazwy jak „daglezja", „modrzew japoński" czy „jodła olbrzymia" nie występują w żadnej ludowej piosence czy wierszu, ponieważ nie zakorzeniły się jeszcze w naszej pamięci społecznej. Ci przybysze zajmują w lesie szczególną pozycję. W przeciwieństwie do naturalnie wędrujących gatunków drzew trafili do nas bez typowego dla nich ekosystemu. Zaimportowano jedynie same nasiona, co miało ten skutek, że większość grzybów i wszystkie owady pozostały w starym kraju. Daglezje i spółka mogły wystartować tu na nowo bez żadnych obciążeń. Może być to oczywiście bardzo korzystne. Choroby powodowane przez pasożyty są całkowicie nieobecne – przynajmniej w pierwszych dekadach. Z porównywalną sytuacją ludzie spotykają się na Antarktydzie. Powietrze tam jest niemal zupełnie pozbawione zarazków i pyłów – co byłoby idealnym rozwiązaniem dla alergików, gdyby tylko ten kontynent nie leżał tak daleko. Dokonana przy naszej pomocy przeprowadzka drzew do innej części świata przypomina nagłe wyzwolenie na wielką skalę. Grzybowych partnerów dla swoich korzeni znajdują między gatunkami, które nie wyspecjalizowały się w konkretnych drzewach. Tryskając zdrowiem, wyrastają w europejskich lasach na potężne osobniki, do tego jeszcze w bardzo krótkim czasie. Nic dziwnego, że sprawiają wrażenie, jakby przewyższały pod każdym względem rodzime gatunki. Przynajmniej tak to wygląda w wypadku kilku stanowisk. Naturalnie wędrowne gatunki drzew mogą osiąść na dobre tylko tam, gdzie znakomicie się czują. By móc rywalizować na równej stopie ze starymi władcami lasu, musi im odpowiadać nie tylko klimat, ale i rodzaj gleby oraz wilgotność. W wypadku drzew, które przez nas, ludzi, zostały sprowadzone do lasu, jest to swoista ruletka.

Późno kwitnąca czeremcha amerykańska jest drzewem liściastym z Ameryki Północnej, które wykształca tam przepiękne pnie i znakomite drewno. Bez dwóch zdań – europejscy leśnicy też chętnie widzieliby coś takiego w swoich lasach. Ale po kilku dekadach przyszło otrzeźwienie. W nowej ojczyźnie drzewa rosną krzywe i powyginane, dorastają ledwie do dwudziestu metrów i przede wszystkim marnieją w oczach wśród sosen wschodnich i północnych Niemiec. Trudno jednak pozbyć się tych roślin, które tymczasem popadły w niełaskę, bo sarny i jelenie gardzą ich gorzkimi pędami. Zamiast tego wolą objadać buki, dęby bądź w ostateczności sosny. W ten sposób pomagają późno kwitnącej czeremsze pozbyć się uciążliwej konkurencji i nowa obywatelka lasu może się bez przeszkód rozprzestrzeniać.

Daglezje również doświadczyły tej historii o niedającym się przewidzieć finale. W niektórych miejscach po ponad stu latach uprawy przeistoczyły się w imponujące giganty. Inne lasy trzeba było zaś wyciąć do zera, jak miałem okazję tego doświadczyć podczas rocznego stażu. Ledwie czterdziestoletni daglezjowy lasek zaczął obumierać. Uczeni długo zgadywali, co też mogło być przyczyną. Nie chodziło o grzyby, w grę nie wchodziły również owady. Ostatecznie okazało się, że winny był nadmiar manganu w glebie. Daglezje najwyraźniej tego nie znoszą. Ale tak na dobrą sprawę „daglezji" jako takich nie ma, bo do Europy importowano rozmaite podgatunki o całkowicie odmiennych cechach. Najlepiej zaadaptowały się daglezje pochodzące z wybrzeża Pacyfiku. Ich materiał siewny został jednak zmieszany z daglezjami z głębi lądu, rosnącymi z dala od morza. By rzecz jeszcze bardziej skomplikować, oba podgatunki krzyżują się ze sobą i produkują potomstwo, u którego ujawniają się cechy w ogóle wcześniej nieprzewidywane. Niestety, często dopiero po ukończeniu przez drzewa czterdziestu lat okazuje się, czy dobrze się czują. Jeśli tak, zachowują krzepkie niebiesko-zielone igły i gęstą, nieprzejrzystą koronę. U mieszańców zawierających zbyt wiele genów śródlądowych pień zaczyna pokrywać się żywicą, a igły robią się przerzedzone. Koniec końców to nic innego, jak nieco brutalna korekta przeprowadzana przez naturę. To, co genetycznie nie pasuje, podlega selekcji, nawet jeśli ten proces zajmuje wiele dziesiątków lat.

Nasze rodzime buki mogłyby jednak bez trudu pozbyć się intruzów. Stosują tu tę samą strategię, co w walce z dębami. Główną przewagą, dzięki której buki wygrywają z daglezjami w perspektywie stuleci, jest ich zdolność do rośnięcia nawet w najgłębszym półmroku pod dorosłymi drzewami. Latorośle Amerykanek potrzebują o wiele więcej światła i giną w przedszkolu rodzimych drzew liściastych. Tylko dzięki pomocy człowieka, czyli stałemu wyrębowi drzew, co zapewnia dopływ światła słonecznego na ziemię, małe daglezje zyskują szansę przetrwania.

Niebezpiecznie robi się wtedy, gdy pojawiają się obcy odznaczający się bardzo dużym podobieństwem genetycznym do rodzimych gatunków. To przypadek modrzewia japońskiego, który tu spotyka się z modrzewiem europejskim. Ten ostatni często rośnie krzywo, a do tego niezbyt szybko, więc od ostatniego stulecia bywa często zastępowany Japończykiem. Oba gatunki łatwo się ze sobą krzyżują i tworzą mieszańce. Powstaje niebezpieczeństwo, że pewnego dnia w odległej przyszłości znikną ostatnie modrzewie europejskie czystej rasy. W moim rewirze też ma miejsce taka chaotyczna koegzystencja, przy czym tutaj, w górach Eifel, żaden z gatunków nie jest rodzimy. Kolejnym kandydatem, któremu grozi podobny los, jest topola czarna. Krzyżuje się ona z topolami pochodzenia mieszańcowego, czyli otrzymanymi w uprawie odmianami hodowlanymi, które z kolei są krzyżówkami topoli czarnej z gatunkami topoli kanadyjskiej.

Niemniej jednak większość gatunków jest raczej niegroźna dla rodzimych drzew. Bez naszej pomocy niektóre z nich zniknęłyby najpóźniej po dwustu latach. A nawet z naszą pomocą przetrwanie przybyszów jest na dłuższą metę wątpliwe. Właściwe im pasożyty też bowiem korzystają z globalnego przepływu towarów. Nie ma wprawdzie celowego importu, bo kto chciałby wwozić szkodniki, jednakże stopniowo grzybom i owadom udaje się przekroczyć Atlantyk wraz z importowanym drewnem i osiąść u nas. Często są to materiały opakowaniowe, takie jak drewniane palety, które nie zostały prawidłowo ogrzane w wysokiej temperaturze w celu zabicia szkodników. Przesyłane zza oceanu paczki od osób prywatnych także zawierają niekiedy żywe owady, czego nawet sam doświadczyłem. Kupiłem kiedyś stary mokasyn do mojej kolekcji indiańskich przedmiotów codziennego użytku. Gdy rozpakowywałem zawinięty w papier gazetowy skórzany but, ze środka wypełzło kilka niewielkich brązowych chrząszczy, które szybciutko wyłapałem, rozgniotłem i wrzuciłem do śmieci. Brzmi to osobliwie w ustach obrońcy przyrody?

Przywleczone owady, gdy raz się zadomowią, stają się śmiertelnie niebezpieczne nie tylko dla nowych, ale i dla rodzimych gatunków drzew. Do takich gatunków należy azjatycki chrząszcz z rodziny kózkowatych *Anoplophora glabripennis*. Przywędrował do nas prawdopodobnie z Chin w drewnie służącym za opakowanie. Chrząszcz mierzy trzy centymetry długości i ma długie na sześć centymetrów czułki. Przyjemnie popatrzeć na jego ciemne ciało z pasami białych plamek. Jednak dla naszych drzew liściastych jest mniej atrakcyjny, gdyż składa pojedyncze jaja w szczelinkach kory. Wykluwają się z nich żarłoczne larwy, które drążą w pniu otwory na grubość kciuka. Tą drogą wdzierają się grzyby, a w końcu pień się łamie. Jak dotąd chrząszcze koncentrują się na miejskich obszarach, co przysparza dodatkowych problemów drzewnym dzieciom ulicy. Nie wiemy jeszcze w tej chwili, czy azjatycka kózka rozprzestrzeni się również w zwartych obszarach lasów, bo chrząszcze te są bardzo leniwe i najchętniej żyją w promieniu kilkuset metrów od miejsca swego urodzenia.

Zupełnie inaczej poczyna sobie w tej mierze inny przyjezdny z Azji. To pucharek jesionowy, grzyb, który właśnie przymierza się do wymordowania większości jesionów w Europie. Jego owocniki wyglądają niegroźnie i sympatycznie, po prostu maleńkie grzybki rosnące w ściółce na ogonkach opadłych liści jesionu. Właściwa grzybnia panoszy się jednak na drzewach i powoduje obumieranie jednej gałęzi po drugiej. Wygląda na to, że niektóre jesiony przetrwały falę ataków, ale wątpliwe jest, czy w przyszłości nad strumieniami i rzekami będą jeszcze rosły jesionowe lasy. W tym kontekście zastanawiałem się nieraz, czy przypadkiem i my, leśnicy, nie przyczyniamy się trochę do rozprzestrzeniania szkodnika. Sam przecież oglądałem pokiereszowane lasy w południowych Niemczech, a potem wędrowałem znowu po własnym rewirze. W tych samych butach! Czy do podeszew nie mogły się przyczepić malutkie zarodniki grzyba, który jako pasażer na gapę przejechał się w góry Eifel? Tak czy owak mamy już w gminie Hümmel pierwsze porażone jesiony.

Nie ogarnia mnie jednak trwoga, gdy myślę o przyszłości naszych lasów. A to dlatego, że akurat na wielkich kontynentach (a kontynent eurazjatycki jest największy ze wszystkich) każdy gatunek wciąż musiał się zmagać z nowymi przybyszami. Wędrowne ptaki i gwałtowne orkany ciągle przynosiły nasiona nowych gatunków, zarodniki grzybów bądź drobne zwierzęta. Pięćsetletnie drzewo z pewnością przeżyło już niejedną niespodziankę. A za sprawą dużej różnorodności genetycznej w obrębie jednego gatunku istnieje zawsze dosyć drzew, które znajdą odpowiedź na nowe wyzwanie. Takich „naturalnych" nowych obywateli, którzy imigrowali bez ludzkiej asysty, być może odkryliście już sami wśród ptaków. To na przykład sierpówka, która przybyła do nas dopiero w latach trzydziestych z basenu Morza Śródziemnego. Kwiczoł, brązowo-szary ptak z czarnymi plamkami, od dwustu lat przesuwa się z północnego wschodu coraz dalej na zachód i dotarł już do Francji. Nie wiadomo jeszcze, jakie niespodzianki przyniósł na swych piórach.

Kluczowe znaczenie dla odporności rodzimych ekosystemów leśnych na tego rodzaju zmiany ma to, na ile zachowały się one w stanie naturalnym. Im bardziej nietknięta jest leśna społeczność, im bardziej zrównoważony mikroklimat wśród drzew, tym trudniej zagnieździć się obcym najeźdźcom. Klasycznym przykładem są rośliny trafiające na czołówki gazet, takie jak barszcz kaukaski. Pochodzi z Kaukazu i osiąga ponad trzy metry wzrostu. Już w dziewiętnastym wieku został sprowadzony do środkowej Europy z uwagi na urodę jego białych baldachów mierzących do pół metra średnicy. Tu zwiał z ogrodów botanicznych i od tej pory dziarsko rozprzestrzenia się na niejednej łące. Barszcz kaukaski uważa się za bardzo niebezpieczny, ponieważ jego sok na skórze w połączeniu z działaniem promieni ultrafioletowych może spowodować rany przypominające oparzenia. Rocznie wydaje się sumy idące w miliony, by wykopać i zniszczyć te rośliny – jak dotąd bez większych sukcesów. Barszcz jednak tylko dlatego może się rozprzestrzeniać, że w dolinach strumieni i rzek brakuje pierwotnych lasów łęgowych. Gdy one powrócą, pod koronami drzew zrobi się tak ciemno, że barszcz zniknie. To samo dotyczy niecierpka gruczołowatego czy rdestowca ostrokończystego, które zasiedlają brzegi zamiast drzew. Gdy tylko prowadzący własną gospodarkę człowiek zostawi ten problem drzewom, zostanie on natychmiast rozwiązany.

Tyle już napisałem o nierodzimych gatunkach, że może należałoby w tym miejscu zapytać, co w ogóle oznacza pojęcie „rodzimy". Skłaniamy się do tego, by mianem rodzimych określać te gatunki, które w naturalny sposób występują w obrębie granic naszego kraju. Klasycznym przykładem ze świata zwierząt jest wilk, który w latach dziewięćdziesiątych znowu się pokazał w większości krajów środkowoeuropejskich i odtąd uchodzi za stały element fauny. Wcześniej występował jednak od dawna we Włoszech, Francji i w Polsce. Wilk jest już zatem od bardzo długiego czasu gatunkiem rodzimym w Europie, tyle że nie w każdym państwie. A może taka jednostka przestrzenna jest zbyt szeroko zakrojona? Jeśli mówimy, że morświny są w Niemczech gatunkiem rodzimym, to czy w górnym biegu Renu też czułyby się jak w domu? Sami widzicie, że byłaby to bezsensowna definicja. Pojęcie rodzimości musi być ograniczone do dużo mniejszego obszaru i odnosić się do krain naturalnych, a nie granic wytyczonych przez ludzi. Krainy te są określane przez ich cechy charakterystyczne (woda, rodzaj gleby, topografia) i lokalny klimat. Tam, gdzie warunki są optymalne dla określonego gatunku drzewa, tam się ono osiedli. Może to oznaczać, że na przykład świerki występują naturalnie w Lesie Bawarskim na wysokości tysiąca dwustu metrów, podczas gdy już czterysta metrów niżej i tylko kilometr dalej nie mogą uchodzić za gatunek rodzimy – tu prym wiodą buki i jodły. Fachowcy wprowadzili pojęcie „gatunku właściwego dla siedliska", co oznacza, że dany gatunek osiedla się naturalnie w danym miejscu. W przeciwieństwie do naszych obejmujących wielkie obszary granic państwowych granice wytyczane przez gatunki przypominają raczej wiele małych państewek. Gdy człowiek je zlekceważy i przenosi świerki i sosny na ciepłe niziny, wówczas te drzewa iglaste są tam nowymi obywatelami.

I w ten sposób dochodzimy do mojego ulubionego tematu – mrówki rudnicy. Uważana jest za ikonę ochrony przyrody i w wielu miejscach oznacza się jej występowanie, otacza ochroną, a w razie konfliktów dużym nakładem sił i środków przenosi gdzie indziej. Nic temu postępowaniu zarzucić nię można, w końcu chodzi o zagrożony gatunek zwierząt. Zagrożony? Nie, również mrówki rudnice są nowymi obywatelkami. Podążają w ślad za nasadzeniami świerków i sosen, bo w pewnym sensie są uzależnione od igieł. Bez tych kłujących cienkich liści nie mogłyby zbudować mrowiska, co dowodziłoby, że nie występują w rodzimym, pierwotnym lesie liściastym. Ponadto uwielbiają słońce, które przynajmniej kilka godzin dziennie powinno świecić na ich dom.

Zwłaszcza wiosną i jesienią, gdy w cieniu jest przenikliwie zimno, kilka ciepłych promieni zapewni im jeszcze parę dodatkowych dni pracowitej krzątaniny. Pogrążone w mroku lasy bukowe odpadają tym samym jako miejsce do życia, a mrówki rudnice są z pewnością po wsze czasy wdzięczne leśnikom, że posadzili na dużej powierzchni świerki i sosny.

ZDROWE LEŚNE POWIETRZE?

Leśne powietrze to synonim zdrowia. Kto chciałby zaczerpnąć haust świeżego powietrza albo zająć się sportem w szczególnie rześkiej atmosferze, ten rusza do lasu. I ma po temu wszelkie powody. Powietrze między drzewami jest faktycznie wyraźnie czystsze, bo działają one jak potężne urządzenia filtrujące. Liście i igły znajdują się w ciągłym strumieniu powietrza i wyławiają większe i mniejsze zawieszone w nim cząstki. Łączna ich ilość może dojść nawet do siedmiu tysięcy ton na rok i kilometr kwadratowy[51]. Dzieje się tak dlatego, że powierzchnia koron jest gigantyczna. W porównaniu z łąkami jest ona sto razy większa, co wynika już z samej różnicy wielkości między trawą a drzewami. Odfiltrowany powietrzny balast składa się nie tylko z substancji szkodliwych, takich jak sadza, lecz także ze wzbijanych wysoko nad ziemię pyłu i pyłków roślinnych. Jednak udział substancji wytworzonych przez człowieka jest wyjątkowo szkodliwy. Kwasy, trujące węglowodory i związki azotu koncentrują się wśród drzew, podobnie jak tłuszcz w filtrze wyciągu w naszej kuchni.

Drzewa jednak nie tylko filtrują powietrze, lecz i dorzucają do niego coś od siebie. To zapachowe wiadomości i naturalnie fitoncydy, o których już wspominałem. Ale lasy znacznie różnią się od siebie w zależności od tworzących je gatunków drzew. Lasy iglaste wyraźnie obniżają zawartość drobnoustrojów w powietrzu, co odczuwają zwłaszcza alergicy. Świerki i sosny sprowadzono jednak drogą zalesień również na te obszary, na których nie są z natury rodzimymi gatunkami. I tutaj nowo przybyłe gatunki zaczynają mieć problemy. Przeważnie chodzi o tereny nizinne, na których dla drzew iglastych jest zbyt sucho i zbyt ciepło. W konsekwencji w powietrzu jest dużo więcej pyłów, co sami możecie latem zaobserwować, patrząc pod słońce. Świerki i sosny stale są zagrożone śmiercią z pragnienia, więc pojawiają się korniki, czyhające na łatwą zdobycz. W koronach drzew rozsyłane są gorączkowe wiadomości zapachowe – drzewa „krzyczą" o pomoc i uruchamiają swój chemiczny potencjał obronny. Wszystko to chłoniecie z każdym oddechem leśnego powietrza. Czy to możliwe, byście mogli nieświadomie zarejestrować ów stan alarmowy? Lasy w niebezpieczeństwie są w końcu niestabilne i nie są dobrą przestrzenią życiową dla ludzi. A ponieważ nasi przodkowie w epoce kamiennej zawsze poszukiwali optymalnego schronienia, nie od rzeczy byłoby, gdybyśmy intuicyjnie orientowali się w stanie otoczenia. Pasuje do tego obserwacja dokonana przez naukowców, zgodnie z którą wędrowcom wzrasta ciśnienie wśród drzew iglastych, natomiast uspokaja się i obniża w dąbrowach[52]. Zróbcie sobie po prostu kiedyś sami taki test i zobaczcie, w jakim typie lasu czujecie się wyjątkowo dobrze.

To, że mowa drzew w jakiś sposób na nas wpływa, omawiano nawet niedawno w prasie fachowej[53]. Badacze koreańscy badali starsze kobiety, którym kazali spacerować po lesie i po mieście. Rezultat – u pań spacerujących po lesie poprawiło się ciśnienie krwi, pojemność płuc i elastyczność arterii, podczas gdy miejskie wycieczki nie spowodowały żadnych zmian. Możliwe, że na nasz układ immunologiczny korzystny wpływ mają również fitoncydy, ponieważ zabijają drobnoustroje. Osobiście jestem jednak zdania, że niosące się przez las pomieszane języki drzew są jednym z powodów, dla których tak dobrze czujemy się w lesie. A przynajmniej w dziewiczych lasach. Spacerowicze odwiedzający jeden ze starych rezerwatów lasów liściastych w moim rewirze stale donoszą, że samopoczucie im się poprawia i czują się tam po prostu jak w domu. Jeśli natomiast wędrują przez lasy iglaste, które w Europie Środkowej są przeważnie efektem nasadzeń i tym samym stanowią podatne na choroby sztuczne twory, uczuć takich nie doznają. Możliwe, że rzecz polega na tym, że w lasach bukowych drzewa wydają mniej „okrzyków alarmowych", a za to wymieniają między sobą więcej wiadomości o dobrym samopoczuciu, które przez nos docierają do naszego mózgu. Jestem przekonany, że jesteśmy w stanie instynktownie ocenić stan zdrowia lasów. Sami kiedyś spróbujcie!

Wbrew obiegowym poglądom leśne powietrze nie zawsze musi być szczególnie przesycone tlenem. Ten ważny dla życia gaz pochodzi z fotosyntezy i uwalnia się przy rozkładzie CO_2. Każdego letniego dnia drzewa uwalniają do atmosfery około dziesięciu tysięcy kilogramów tego pierwiastka na kilometr kwadratowy. Zakładając, że indywidualne zużycie dzienne tlenu wynosi niemal kilogram, podana ilość wystarczy dla dziesięciu tysięcy osób. Każdy spacer po lesie zamienia się w ten sposób w istny tlenowy prysznic. Jednak tylko za dnia. A to dlatego, że drzewa produkują wiele węglowodanów nie tylko po to, by zmagazynować je w postaci drewna, lecz również po to, by zaspokoić głód. Podczas spalania w komórkach cukier – podobnie jak u nas – przekształcany jest z powrotem w energię i CO_2. Za dnia nie ma to dla powietrza większego znaczenia, ponieważ ogólnie rzecz biorąc, istnieje wspomniana nadwyżka tlenu. Nocą jednak nie prowadzi się fotosyntezy, a tym samym nie rozkłada CO_2, wręcz przeciwnie – pod osłoną ciemności trwa wyłącznie zużycie zasobów, cukier jest spalany w elektrowniach komórkowych i uwalnia się ogromna ilość CO_2. Nie bójcie się jednak, nie udusicie się podczas nocnych wędrówek po lesie! Stały przepływ powietrza powoduje, że wszystkie gazy uczestniczące w tym procesie mieszają się ze sobą na bieżąco, tak że spadek zawartości tlenu w warstwach bliskich ziemi nie jest zbyt zauważalny.

W jaki sposób właściwie drzewa oddychają? Fragmenty „płuc" sami możecie zobaczyć – to igły i liście. Na spodniej stronie mają maleńkie aparaty szparkowe, przypominające wyglądem małe usteczka. Tędy wydziela się tlen, a wchłania CO_2 – a w nocy na odwrót. Od liści przez pień do korzeni wiedzie długa droga, dlatego te ostatnie również potrafią oddychać. Inaczej przecież drzewa liściaste zginęłyby zimą, bo wówczas nadziemne płuca są w zasadzie zrzucone. Drzewo jednak żyje dalej, choć na zmniejszonych obrotach, i nawet rozrasta się pod ziemią w warstwie korzeniowej, musi zatem produkować energię za pomocą substancji zapasowych, a do tego potrzebuje tlenu. Z tego powodu sytuacja drzew robi się dramatyczna, jeśli gleba wokół pni zostanie tak mocno ubita, że zostaną zatkane małe kanaliki powietrzne. Korzenie przynajmniej częściowo się duszą, a drzewo zaczyna chorować.

Wróćmy jeszcze do nocnego oddychania. Nie tylko drzewa wydzielają w ciemnościach potężne ilości CO_2. W listowiu, w martwym drewnie i innych butwiejących częściach roślin pogrążone w obżarstwie drobne zwierzęta, grzyby i bakterie są zajęte przez całą dobę wyłącznie tym, by strawić wszystko, co tylko da się zużytkować, po czym wydzielić ponownie jako próchnicę. Zimą zaś sytuacja się komplikuje – drzewa śpią w końcu snem zimowym i nawet w dzień zapasy tlenu nie są odnawiane, jednakże życie w glebie w najlepsze toczy się dalej, i to z taką energią, że nawet podczas najsroższych mrozów ziemia nie zamarza głębiej niż na pięć centymetrów. Czy przez to zimą w lesie jest niebezpiecznie? Ratunkiem dla nas są globalne prądy powietrzne, które stale nawiewają nad kontynenty świeży wiatr od morza. W słonej wodzie żyją niezliczone glony, dzięki którym przez cały rok z wody tryskają szalone ilości tlenu. Tak dobrze wyrównują deficyty, że i my możemy oddychać pełną piersią pod zaśnieżonymi bukami i świerkami.

À propos snu – czy zastanawialiście się kiedyś, czy drzewa w ogóle go potrzebują? Co by było, gdybyśmy w dobrej wierze doświetlali je nocą, by mogły wyprodukować jeszcze więcej cukrów? Zgodnie z dotychczasowym stanem badań nie byłby to najlepszy pomysł. Drzewa wyraźnie potrzebują wypoczynku i podobnie jak my odczuwają katastrofalne skutki jego braku. Już w 1981 roku czasopismo „Das Gartenamt" relacjonowało, że za wymieranie dębów w pewnym amerykańskim mieście w czterech procentach odpowiedzialne jest nocne oświetlenie. A długi sen zimowy? To badanie przeprowadziło już niezamierzenie kilkoro miłośników lasu. Opowiadałem o tym w rozdziale *Sen zimowy*. Zabrali do domu młode dąbki czy buczki, by trzymać je w doniczce na parapecie. W przytulnym pokoju nie panują zimowe temperatury, więc zimy nie ma, a większość młodych drzewek nie robi sobie przerwy i po prostu rośnie dalej. Jednakże w którymś momencie brak snu musi się zemścić i pozornie witalne rośliny usychają. Można by tu, co prawda, wysunąć argument, że niejedna zima w ogóle zimy nie przypomina i że przynajmniej na nizinach mroźne dni należą do rzadkości. Ale mimo to drzewa liściaste gubią liście i wypuszczają je na nowo dopiero wiosną, ponieważ – jak już wcześniej wspomniałem – mierzą również długość dnia. Czy nie powinno to zadziałać także u drzewek na parapecie? Być może tak, gdyby wyłączyć ogrzewanie i spędzać zimowe wieczory w ciemności. Jednak mało kto jest gotów zrezygnować z błogich dwudziestu jeden stopni oraz ciepłej bieli światła elektrycznego, bo one wyczarowują w naszych domach sztuczne lato. Wiecznego lata zaś nie wytrzyma żadne środkowoeuropejskie leśne drzewo.

DLACZEGO LAS JEST ZIELONY?

Dlaczego mamy o wiele większe trudności ze zrozumieniem roślin, a nie zwierząt? Odpowiada za to historia ewolucji, na której bardzo wczesnym etapie oddzieliliśmy się od świata zieleni. Wszystkie zmysły mamy uformowane w inny sposób i musimy mocno wytężać wyobraźnię, by zyskać choćby słabe pojęcie o tym, co dzieje się z drzewami. Znakomitym przykładem jest tu nasze widzenie kolorów. Uwielbiam kombinację lazuru nieba ponad nasyconą zielenią wierzchołków drzew. Sielanka natury w stanie czystym, nie znam lepszego relaksu. Czy drzewa też ją tak widzą? Odpowiedź brzmiałaby prawdopodobnie: „I tak, i nie". Błękitne niebo, czyli mnóstwo słońca, z pewnością jest bardzo przyjemne dla buków, świerków i innych gatunków. Jednak dla nich ten kolor jest nie tyle romantycznym czy kojącym doznaniem, ile po prostu sygnałem do startu: „Bufet już otwarty!". Bezchmurny firmament oznacza największą intensywność światła, a tym samym optymalne warunki do fotosyntezy. Zapowiada się gorączkowa działalność na najwyższych obrotach, błękit oznacza zatem mnóstwo pracy. CO_2 i woda będą przerabiane na cukier, celulozę i inne węglowodany, które następnie się zmagazynuje – drzewa będą najedzone.

Zieleń za to ma zupełnie inne znaczenie. Zanim przejdziemy do omawiania tego najbardziej typowego koloru u roślin, zadajmy sobie najpierw inne pytanie: dlaczego świat w ogóle jest kolorowy? Światło słoneczne jest białe, a gdy się odbija, nadal pozostaje białe. Właściwie powinniśmy więc być otoczeni klinicznie czystym, białym krajobrazem. To, że tak nie jest, zawdzięczamy temu, że każdy materiał w odmienny sposób pochłania cząstki światła lub przetwarza je w inny rodzaj promieniowania. Jednak fal o pewnych długościach nie absorbuje i odbija je – i to one są potem odbierane na przykład przez nasze oczy. Kolor istot żywych i przedmiotów określa zatem kolor światła odbitego. A w wypadku drzew jest to zieleń. Ale dlaczego nie czerń, dlaczego w ogóle całe światło nie jest pochłaniane? W liściach światło ulega przetworzeniu za pomocą chlorofilu, a gdyby drzewa zużytkowały je optymalnie, nie pozostałaby ani odrobina – las musiałby wtedy również za dnia być pogrążony w nocnych ciemnościach. Chlorofil ma jednak pewną wadę. Wykazuje „zieloną lukę", czyli nie potrafi wykorzystać światła w tym zakresie widma i niewykorzystane odbija z powrotem. Ta słabość powoduje, że możemy dostrzec pozostałości po fotosyntezie, dlatego też niemal wszystkie rośliny ukazują się nam w nasyconej zieleni. Ostatecznie to odpad światła, towar wybrakowany, którego drzewa nie mogą zużytkować.

Dla nas to dobrze, dla lasu bez pożytku. Czyżby natura nam się podobała, bo odbija odrzucone resztki? Nie wiem, czy drzewa też to tak odbierają, jedno jest natomiast pewne – przynajmniej z błękitnego nieba głodne buki i świerki cieszą się tak samo jak ja.

Przejawiana przez chlorofil ślepota na pewne barwy odpowiada również za inne zjawisko – zielony cień. Jeśli na przykład buki przepuszczają na ziemię najwyżej trzy procent słonecznego światła, to pod ich koronami powinien przez cały dzień panować niemal zupełny mrok. Tak się jednak nie dzieje, co sami możecie stwierdzić podczas spaceru po lesie. Ale nie rosną tu żadne inne rośliny, a to dlatego, że cienie różnią się od siebie w zależności od koloru. Na górze, w koronie drzewa, odfiltrowywane jest już wiele barw i na przykład czerwień i błękit w zasadzie nie docierają na ziemię. Nie dotyczy to jednak „barwy odpadowej", czyli zieleni. Drzewa jej nie potrzebują, dlatego pewna jej ilość przebija się do poziomu gleby. Z tego powodu w lesie panuje zielonkawy półmrok, który zresztą działa odprężająco na ludzką psychikę.

W naszym ogrodzie pewien buk zdaje się wykazywać szczególne upodobanie do czerwieni. Posadzony przez mojego poprzednika, zdążył wyrosnąć na wielkie drzewo. Mnie się specjalnie nie podoba, bo w moich oczach jego liście wyglądają na chore. Czerwono ulistnione buki można napotkać w wielu parkach, gdyż mają stanowić urozmaicenie w monotonii zieleni. W niemieckim żargonie fachowym nazywa się takie drzewa „krwawymi bukami" albo „krwawymi klonami"*, co nie zwiększa mojej sympatii do nich. Właś-

---

* Polskie nazwy brzmią mniej groźnie – odmiany czerwonolistne buka zwyczajnego i klonu pospolitego.

ciwie powinienem im współczuć, bo odstępstwo od sprawdzonego wyglądu przynosi im same kłopoty. Oryginalny
kolor powoduje zaburzenia w przemianie materii. Młode,
dopiero co puszczające się listki są często czerwonawe również u normalnych drzew, ponieważ delikatna tkanka zawiera swego rodzaju krem przeciwsłoneczny. To antocyjany,
które blokują działanie promieni ultrafioletowych i chronią
młode listeczki. Gdy te urosną, poziom barwników się ob-
niży wskutek działania pewnego enzymu. Niektóre buki
bądź klony odbiegają jednak genetycznie od normy, gdyż
tego enzymu nie posiadają. Nie mogą się pozbyć czerwone-
go barwnika i zachowują go także w dorosłych liściach. Od-
bijają więc z całą mocą czerwone światło, marnując znaczną część energii świetlnej. Wprawdzie pozostaje im jeszcze
do fotosyntezy niebieski zakres widma, jednak w porównaniu z zielonymi krewniakami są w zdecydowanie gorszej
sytuacji. W przyrodzie ciągle pojawiają się takie „krwawe"
drzewa, ale ponieważ rosną wolniej niż ich zieloni koledzy,
nie potrafią się przebić i w którymś momencie znikają. Jednak my, ludzie, uwielbiamy oryginalność i dlatego wyszu-
kujemy i specjalnie rozmnażamy czerwone warianty. Co
jednego cieszy, drugiego smuci – tak podsumowałbym takie pomysły, których być może by zaniechano po uświado-
mieniu sobie charakteru zjawiska.

Trudności ze zrozumieniem występują jednak przede
wszystkim z innego powodu – drzewa są nieskończenie powolne. Ich dzieciństwo i młodość trwa dziesięć razy dłużej
od naszego, całe ich życie jest co najmniej pięć razy dłuższe.
Aktywne ruchy w rodzaju rozwinięcia liści bądź wzrostu pędów zabierają tygodnie i miesiące. Dlatego drzewa wydają

się nam sztywniakami o ruchliwości nie większej niż kamienie. Poszum koron na wietrze, skrzyp chwiejących się gałęzi i pni – te dźwięki sprawiają, że las wydaje się nam ożywiony. W rzeczywistości to tylko pasywne kołysanie się, które dla drzew jest w najlepszym wypadku uciążliwe. Nic dziwnego, że dla wielu z nas drzewa nie różnią się zbytnio od przedmiotów. Za to pewne procesy pod korą zachodzą wyraźnie szybciej. Woda i składniki pokarmowe, czyli „krew drzewa", płyną od korzeni do liści z prędkością do centymetra na sekundę[54].

Również obrońcy przyrody, tak jak wielu leśników, padają w lasach ofiarą złudzeń optycznych – i nic dziwnego, bo człowiek jest przecież „zwierzęciem wizualnym" i zmysł wzroku ma dla niego znaczenie dominujące. Do tego puszcze w naszych szerokościach geograficznych wydają się często na pierwszy rzut oka smutne i mało zróżnicowane gatunkowo. Różnorodność wśród zwierząt widoczna jest niejednokrotnie w świecie mikroorganizmów, który pozostaje ukryty przed okiem odwiedzających las. Zauważamy jedynie większe gatunki, ptaki czy ssaki, chociaż także bardzo rzadko, bo typowe zwierzęta leśne są często spokojne i bardzo nieśmiałe. Goście odwiedzający w moim rewirze stare rezerwaty buczyny często mnie pytają, dlaczego słychać tak mało ptaków.

Gatunki żyjące na otwartych przestrzeniach są hałaśliwsze i nie starają się tak bardzo ukryć przed naszym okiem. Znacie to być może z własnego ogrodu, gdzie sikorki, kosy i rudziki szybko się do was przyzwyczajają i zachowują najwyżej parometrowy dystans. Również motyle leśne są przeważnie brązowe i szare, a podczas odpoczynku na pniu drzewa maskują się, udając kawałek kory. Gatunki otwartych przestrzeni prześcigają się natomiast w feerii barw i lśnień, przez co trudno ich nie zauważyć. Rośliny postępują podobnie. Leśne gatunki są zwykle nieduże i bardzo do siebie podobne. Sam straciłem orientację przy kilkuset gatunkach mchu, wszystkich maciupeńkich, co dotyczy zresztą i porostów. O ileż bardziej uczynne są pod tym względem rośliny stepowe... Jaskrawe, dochodzące do dwóch metrów naparstnice, żółte starce, błękitne niezapominajki – takie wspaniałości cieszą serca wędrowców. Nic więc dziwnego, że zaburzenia w leśnym ekosystemie, kiedy to czy wskutek burzy, czy planowej gospodarki leśnej powstają wielkie, odkryte powierzchnie, wywołują u niejednego obrońcy przyrody szał zachwytu. Oni naprawdę wierzą, że teraz wzrośnie różnorodność gatunków i nie dostrzegają przy tym dramatyzmu sytuacji. W zamian za kilka gatunków otwartych przestrzeni, które w pełnym słońcu czują się jak w siódmym niebie, wymrą miejscowo setki gatunków drobnych zwierząt, którymi pies z kulawą nogą się nie zainteresuje. Do podobnego wniosku dochodzi naukowa rozprawa stowarzyszenia Ecological Society of Germany, Austria and Switzerland. Wynika z niej, że wraz z intensyfikacją gospodarki leśnej wzrasta wprawdzie różnorodność roślin, ale nie jest to bynajmniej powód do świętowania, lecz raczej objaw postępującego zniszczenia naturalnego ekosystemu[55].

SPUSZCZONY ZE SMYCZY

W obliczu dramatycznych przemian w naszym środowisku naturalnym nasila się tęsknota za dziewiczą naturą.
W gęsto zaludnionej Europie Środkowej las uchodzi za ostatni azyl dla ludzi, którzy chcieliby się pławić w nietkniętym
krajobrazie. Tyle że takich krajobrazów już nie ma. Pierwotne puszcze padły wieki temu pod ciosami toporów, a następnie zaorały je pługi naszych przodków, trapionych pla-
gami głodu. Obok ludzkich siedlisk i pól uprawnych istnieją
wprawdzie znowu wielkie płaszczyzny porośnięte drzewami, jednak w tym wypadku chodzi raczej o plantacje, które charakteryzują się tym, że rosną na nich drzewa jednego gatunku i w tym samym wieku. Tymczasem już nawet
politycy zorientowali się, że coś takiego trudno nazwać lasem. Wśród partii niemieckich zapanowała więc zgoda co
do tego, że co najmniej pięć procent lasów gospodarczych
powinno być pozostawionych samym sobie, by mogły z nich

powstać puszcze jutra. Na pozór to niewiele, a w porównaniu z państwami strefy tropikalnej, którym cały czas czynimy wyrzuty z powodu niedostatecznej ochrony lasów deszczowych, wręcz zawstydzające. Ale przynajmniej jest to jakiś początek. Nawet gdyby w Niemczech uwolniono najpierw choćby dwa procent lasów gospodarczych, dałoby to ponad dwa tysiące kilometrów kwadratowych. Na tej powierzchni można już obserwować swobodną grę żywiołów, a w przeciwieństwie do obszarów objętych ścisłą ochroną przyrody i pielęgnowanych sporym nakładem sił i środków tutaj ochronie podlega bezczynność, co jest też zwane naukowo ochroną procesów. A ponieważ natura gwiżdże na to, czego po niej oczekujemy, wydarzenia nie zawsze toczą się zgodnie z naszymi wyobrażeniami.

Zasadniczo chodzi o to, że powrót do stanu lasu pierwotnego przebiega tym gwałtowniej, im bardziej na chronionym obszarze zaburzona została naturalna równowaga. Jego skrajną antytezą byłoby pole orne, na którym posiano rodzimy trawnik i co tydzień koszono. Również i u nas koło leśniczówki ciągle odkrywam w trawie siewki dębów, buków i brzóz. Gdyby nie regularne koszenie, to za pięć lat rósłby tu młody zagajnik z dwumetrowymi drzewkami, za którego gęstym listowiem zniknęłaby nasza mała Arkadia.

W wypadku obszarów leśnych powrót do pierwotnej puszczy wyjątkowo dobrze można zaobserwować na przykładzie plantacji świerków i sosen. Właśnie takie lasy gospodarcze stają się często częścią świeżo utworzonych parków narodowych, bo zwykle brakuje woli wykorzystania w tym celu ekologicznie wartościowszych obszarów lasów liściastych. Wszystko jedno zresztą, przyszła puszcza startuje równie chętnie z monokultur. Jeśli człowiek wycofa się z gry, to już po kilku latach dostrzec można pierwsze drastyczne zmiany. Zwykle są to owady, maleńkie korniki, które teraz rozmnażają się i rozprzestrzeniają bez przeszkód. Sadzone kiedyś w karnym szeregu drzewa iglaste, często uprawiane w ciepłych i suchych rejonach, nie potrafią się w takich warunkach bronić przed agresorami, którzy uśmiercą je w ciągu paru tygodni, objadając im korę do czysta. W dawnych lasach gospodarczych owady rozprzestrzeniają się jak ogień i zostawiają po sobie na pozór martwe, spustoszone krajobrazy, których cechą charakterystyczną są blade szkielety drzew. Na ten widok krwawią serca tamtejszych tartaków, które z chęcią spożytkowałyby te pnie. Zakłady drzewne uciekają się też do argumentu więdnącej w zarodku turystyki, bo ich zdaniem może ona w ogóle się nie rozwinąć wskutek tak ponurych obrazów. Łatwo to zrozumieć, wyobraziwszy sobie, że wycieczkowicze trafiliby bez uprzedzenia w rejon rzekomo dziewiczych lasów i zamiast zdrowej zieleni napotkali tam całe pasma górskie z obumarłymi drzewami. W samym tylko Parku Narodowym Lasu Bawarskiego obumarło od 1995 roku ponad pięćdziesiąt kilometrów kwadratowych lasów świerkowych, co odpowiada mniej więcej ćwierci całej powierzchni tego parku[56]. Martwe pnie są dla wielu turystów najwyraźniej trudniejsze do zniesienia niż naga przestrzeń. Większość parków narodowych ugina się pod naporem krytyki i rzeczywiście sprzedaje tartakom drzewa, które są wycinane i wywożone z lasu w celu zwalczania korników. To poważny błąd. A to dlatego, że obumarłe świerki i sosny są akuszerami młodego lasu liściastego. W ich martwych ciałach gromadzi się woda i w ten sposób pomagają schłodzić do znośnej temperatury gorące letnie powietrze. Gdy się przewrócą, nieprzebyte zasieki z pni tworzą naturalny płot, którego nie są w stanie sforsować sarny czy jelenie. Młode dęby, jarzębiny czy buki mogą teraz – nieobgryzane – bezpiecznie rosnąć. Gdy pewnego dnia martwe drzewa iglaste do cna zbutwieją, wytworzy się wartościowa próchnica. W tym momencie ciągle jeszcze nie mamy do czynienia z lasem pierwotnym, bo drzewnym latoroślom brakuje przecież rodziców. Nie ma nikogo, kto by powściągał zapędy maluchów do bujnego wzrostu, kto by je chronił lub w sytuacji kryzysowej żywił roztworem cukrów. Dlatego pierwsze naturalne pokolenie drzew w parku narodowym rośnie raczej tak jak dzieci ulicy. Zestaw gatunków drzew też jest jeszcze początkowo nienaturalny. Dawne plantacje drzew iglastych rozsiewają przed odejściem mnóstwo nasion, tak że pomiędzy bukami, dębami i jodłami pospolitymi rosną również świerki, sosny czy daglezje. Często oficjalne czynniki zaczynają się w tym momencie niecierpliwić. Nie ulega wątpliwości, że gdyby wycięto drzewa iglaste, które teraz popadły w niełaskę, to być może puszcza powstałaby troszkę szybciej. Jednak gdy ma się świadomość, że pierwsze pokolenie drzew tak czy owak rośnie zbyt szybko, a tym samym nie osiągnie sędziwego wieku i że przez to o wiele później wykształci się stabilna struktura społeczna lasu, można spokojniej przyglądać się wydarzeniom. Rosnące nadal w lesie gatunki plantacyjne pożegnają się z nami najpóźniej po stu latach, ponieważ przerastają o głowę drzewa liściaste, po czym stoją pozbawione osłony pośród burz, które bezlitośnie obalają je na ziemię. Te pierwsze prześwity są zajmowane w parku narodowym przez drugie pokolenie drzew liściastych, które teraz może bezpiecznie rosnąć pod osłoną liści rodziców. Nawet jeśli i im nie uda się zestarzeć, to i tak zapewnią dzieciom powolny start. Gdy one z kolei dojdą do wieku emerytalnego, puszcza osiągnie już stabilną równowagę i odtąd niewiele będzie się zmieniać.

Tymczasem minie pięćset lat od utworzenia parku narodowego. Gdyby ochroną objęto wielkie połacie starego lasu liściastego, który był tylko w umiarkowanym stopniu wykorzystywany gospodarczo, wówczas ten proces zająłby lat dwieście. Jednak ponieważ jak kraj długi i szeroki nierzadko wybiera się na objęte ochroną obszary lasy dalekie od stanu naturalnego, musi on zająć nieco więcej czasu (z punktu widzenia drzew) i trzeba uwzględnić w kalkulacjach, że pierwszych kilka dekad zajmie wyjątkowo burzliwa faza przepoczwarzania się.

Częsty błąd popełniany w ocenie lasu dotyczy wyglądu europejskich lasów pierwotnych. Mnóstwo laików uważa, że krajobraz zmieni się w busz, a wszędzie wyrosną nieprzebyte chaszcze. Tam, gdzie dzisiaj rozciągają się w miarę dostępne lasy gospodarcze, tam jutro zapanuje chaos. Rezerwaty, w które człowiek nie ingerował od ponad stu lat, dowodzą czegoś wręcz przeciwnego. Głęboki cień sprawia, że zioła i krzewy nie mają szansy na przetrwanie, tak że na glebach lasów naturalnych dominuje kolor brązowy (opadłych liści). Niewielkie drzewka rosną ekstremalnie powoli i bardzo prosto, boczne gałęzie są krótkie i cienkie. Dominują stare drzewa rodzicielskie, których pnie jak strzeliste kolumny sprawiają, że czujemy się jak w katedrze.

W przeciwieństwie do lasu naturalnego w lasach gospodarczych jest o wiele więcej światła, bo ciągle są w nich wycinane drzewa. Tu rosną trawy i krzaczaste zarośla, tu zasieki jeżynowe uniemożliwiają wędrówkę na przełaj. Leżące wokoło korony obalonych drzew tworzą dodatkowe przeszkody i ogólnie rzecz biorąc, pojawia się silne wrażenie niepokoju, wręcz regularnego bałaganu. Lasy pierwotne natomiast świetnie się nadają do wędrówek. Jedynie tu i ówdzie można zobaczyć na ziemi parę grubych, obumarłych pni, stanowiących naturalną ławkę, na której można przysiąść i odpocząć. Wszystkie drzewa osiągają podeszły wiek, wskutek czego bardzo rzadko dochodzi do tego rodzaju wywrotek martwych okazów, poza tym w lasach niewiele się dzieje. W ciągu jednego życia ludzkiego nie da się zaobserwować wielu zmian. Obszary objęte ochroną, gdzie lasy sztuczne mogą się przeistoczyć w pierwotne, uspokajają zatem naturę i pozwalają osobom szukającym wypoczynku lepiej ją odbierać.

A bezpieczeństwo? Czy co miesiąc nie czytamy o niebezpieczeństwach, których źródłem są stare drzewa? Połamane konary bądź całe drzewa spadające na szlaki piesze, chaty lub parkujące samochody? Z całą pewnością takie rzeczy mogą się zdarzyć. Jednak niebezpieczeństw, których źródłem są lasy gospodarcze, jest bez porównania więcej. Ponad dziewięćdziesiąt procent szkód wyrządzonych przez wiatr powodują drzewa iglaste, które rosną na niestabilnych plantacjach i przewracają się już przy porywach wiatru o prędkości około stu kilometrów na godzinę. Nie znam ani jednego przypadku, w którym stary i już od długiego czasu niewykorzystywany gospodarczo las liściasty padłby ofiarą takiego zjawiska pogodowego. Dlatego mogę tylko rzucić hasło – nie bójmy się dzikości!

BIOROBOTY?

Gdy przyglądamy się wspólnej historii człowieka i zwierząt, widzimy zarysowujący się w ciągu ostatnich lat pozytywny obraz. Wprawdzie ciągle istnieje przemysłowy chów zwierząt, doświadczenia na zwierzętach i inne bezwzględne formy wykorzystywania ich, jednakże powoli uznajemy u naszych zwierzęcych kolegów istnienie coraz liczniejszych emocji, a co za tym idzie – uznajemy również ich prawa. I tak w Niemczech w 1990 roku weszła w życie ustawa o poprawie pozycji prawnej zwierzęcia w prawie cywilnym, której celem ma być zaprzestanie traktowania zwierząt jako rzeczy. Coraz więcej ludzi rezygnuje każdego dnia z konsumpcji mięsa bądź też robi zakupy z większą świadomością, nie chcąc przysparzać cierpień zwierzętom w masowej hodowli. Uważam ten kierunek przemian za bardzo dobry, bo zdążyliśmy się już dowiedzieć, że zwierzęta w wielu dziedzinach czują tak samo jak my. Nie dotyczy to wyłącznie blisko z nami spokrewnionych ssaków, ale nawet owadów, takich jak muszka owocowa. Badacze w Kalifornii odkryli, że nawet te maleństwa śnią. Współczucie dla much? Tak daleko się jeszcze nie posunęliśmy, a nawet gdyby, to i tak jeszcze długa droga przed nami do nawiązania kontaktu emocjonalnego z lasem. Nie jesteśmy bowiem w stanie sforsować przeszkody, która leży w naszych umysłach, a która dzieli nasze podejście do much i do drzew. Wielkie rośliny nie mają mózgu, mogą się jedynie bardzo powoli poruszać, są zainteresowane zupełnie innymi rzeczami niż my i przeżywają swój zwykły dzień w ekstremalnie zwolnionym tempie. Nie dziwi więc, że choć każde dziecko w szkole wie, że drzewa to organizmy żywe, to powszechnie traktuje się je jak rzeczy. Gdy polana drewna wesoło trzaskają w piecu, płoną właśnie zwłoki buka czy dębu. Albo papier wielu książek – powstał z rozdrobnionych, specjalnie w tym celu ściętych (a więc zabitych) świerków i brzóz. Przesadzam? Nie sądzę. Bo gdy uświadomimy sobie to wszystko, o czym dowiedzieliśmy się z wcześniejszych rozdziałów, wówczas mamy pełne prawo dokonać analogii do kotletów i świń. Wykorzystujemy żywe istoty, które są zabijane dla naszych celów, nie ma tu co tuszować prawdy. Z drugiej strony nasuwa się pytanie, czy nasze postępowanie rzeczywiście jest naganne. W końcu też jesteśmy częścią natury, a nasze ciała zbudowane są w taki sposób, że możemy przeżyć tylko dzięki substancji organicznej z innych gatunków. Tę konieczność dzielimy ze wszystkimi zwierzętami. Pytanie brzmi tylko, czy nie czerpiemy ponad miarę z leśnego ekosystemu i czy oszczędzamy przy tym drzewom niepotrzebnego cierpienia, analogicznie do postępowania ze zwierzętami użytkowymi. Zasady są takie same, czyli korzystanie z drewna jest w porządku, o ile drzewa mogły żyć w zgodzie z wymogami i potrzebami swego gatunku. A to oznacza, że mają prawo do zaspokojenia swych potrzeb społecznych, że mają prawo rosnąć w prawdziwym leśnym klimacie i na nietkniętych glebach oraz przekazać swą wiedzę następnym pokoleniom. Przynajmniej część z nich powinna mieć prawo godnie się zestarzeć, a wreszcie umrzeć naturalną śmiercią. Tym, czym w produkcji żywności są uprawy ekologiczne, tym dla lasu gospodarka przerębowa. Zgodnie z jej zasadami drzewa w każdym wieku i we wszystkich fazach wzrostu są ze sobą przemieszane, tak że drzewne dzieci wzrastają u stóp swych rodziców. Od czasu do czasu robi się porządek z powalonym pniem, który z poszanowaniem dla lasu wywozi się końmi do najbliższej drogi. A żeby również stare drzewa potraktować sprawiedliwie, obejmuje się ochroną od pięciu do dziesięciu procent powierzchni. Drewno z takich lasów, w których prowadzono „chów drzew" zgodnie z wymogami i potrzebami gatunków, może być użytkowane bez zastrzeżeń. Niestety, obecna praktyka w środkowej Europie w dziewięćdziesięciu pięciu procentach wygląda inaczej – na coraz większą skalę wykorzystuje się ciężkie maszyny na monotonnych plantacjach. Laicy zaczynają lepiej rozumieć potrzebę zmiany kursu niż zawodowi leśnicy. Coraz częściej wtrącają się do zarządzania lasami publicznymi i w dyskusji z urzędami ustanawiają wyższe standardy ochrony środowiska. Tytułem przykładu można wymienić ruch obywatelski Waldfreunde Königsdorf (Przyjaciele Königsdorfskiego Lasu) w pobliżu Kolonii, któremu w postępowaniu mediacyjnym między nadleśnictwem a ministerstwem udało się uzyskać zobowiązanie, że nie będzie się tam stosować ciężkich maszyn oraz że nie będzie wolno ścinać drzew liściastych w zaawansowanym wieku[57]. Szwajcaria zaś już dziś stanowi przykład państwa, które troszczy się o życie zgodne z wymogami i potrzebami gatunku całego świata zieleni. W konstytucji federalnej stwierdza się, że Federacja wydaje przepisy „o postępowaniu z nasieniem i materiałem genetycznym zwierząt, roślin i innych organizmów. Uwzględnia przy tym godność stworzenia"*. A więc zrywanie kwiatów na skraju drogi bez rozsądnej przyczyny jest niedopuszczalne. Wprawdzie to stanowisko uznano w międzynarodowym odbiorze raczej za godne politowania, ja jednak widzę w nim z radością zburzenie granic między zwierzętami a roślinami. Jeśli znane nam są zdolności świata roślin i jeśli uznajemy ich życie uczuciowe oraz ich potrzeby, to nasz stosunek do roślin powinien krok po kroku ulegać zmianie. Lasy nie są głównie fabrykami drewna i magazynami surowca, a jedynie przy okazji złożoną przestrzenią życiową dla tysięcy gatunków, jak to uważa dzisiaj leśna gospodarka planowa. Wręcz przeciwnie. Wszędzie tam, gdzie drzewa mogą rozwijać się zgodnie z wymogami i potrzebami swego gatunku, wyjątkowo dobrze spełniają funkcje, które w wielu ustawach dotyczących lasów stawiane są prawnie wyżej od produkcji drewna – a są to ochrona i wypoczynek. Dyskusje toczone obecnie między organizacjami ochrony przyrody i użytkownikami lasów, jak również ich pierwsze satysfakcjonujące rezultaty, takie

---

* Art. 120 pkt 2 Konstytucji Federalnej Konfederacji Szwajcarskiej, za: Konstytucja Federalna Konfederacji Szwajcarskiej, tłum. Zdzisław Czeszejko- -Sochacki, Wydawnictwo Sejmowe, Warszawa 2000; zob. http://libr.sejm. gov.pl/tek01/txt/konst/szwajcaria.html, dostęp: 10 maja 2016.

jak w Königsdorfie, dają nadzieję, że w przyszłości sekretne życie lasów nadal będzie się toczyć. A nasi potomni będą mogli w zachwycie spacerować wśród drzew. Bo to właśnie zapewnia ten ekosystem – bujność życia, dziesiątki tysięcy gatunków, które są ze sobą powiązane i od siebie zależne. Na przykładzie pewnej historii z Japonii można w zarysie unaocznić, jak ważne jest w skali globalnej sprzężenie lasów z innym obszarami naturalnymi. Katsuhiko Matsunaga, chemik morza z Uniwersytetu Hokkaido, odkrył, że kwasy wydzielane przez opadłe liście są spłukiwane do morza w strumieniach i rzekach. Tam pobudzają wzrost planktonu, który jest pierwszym i najważniejszym elementem łańcucha pokarmowego. Więcej ryb dzięki lasom? Badacz zachęcił do sadzenia drzew w pobliżu wybrzeża, co faktycznie spowodowało zwiększenie połowów rybaków i hodowców ostryg[58]. Jednak nie tylko materialne korzyści winny uzasadniać naszą troskę o drzewa. To także drobne zagadki i cuda, których nie warto tracić. Pod dachem z liści codziennie rozgrywają się dramaty i wzruszające historie miłosne, to tam znajduje się ostatni skrawek natury – wystarczy otworzyć drzwi. W lesie można jeszcze przeżyć przygodę i znaleźć tajemnice do rozwiązania. A kto wie, może pewnego dnia naprawdę rozszyfrujemy mowę drzew i w ten sposób zyskamy materiał do kolejnych niewiarygodnych opowieści. Czekając na tę chwilę, wybierzcie się do lasu i puśćcie swobodnie wodze fantazji – w wielu wypadkach nie odbiega ona zbyt daleko od rzeczywistości!

PODZIĘKOWANIA

To, że mogę tyle pisać o drzewach, uważam za dar. Codziennie uczę się czegoś nowego podczas zbierania materiałów, rozmyślań, obserwacji i szukania rozwiązań. Dar ten zawdzięczam mojej żonie Miriam, która podczas wielu rozmów cierpliwie słuchała moich relacji z aktualnego stanu pracy, czytała rękopis i proponowała rozmaite poprawki. Bez mojego pracodawcy, gminy Hümmel, nie mógłbym otaczać opieką przepięknego starego lasu w moim rewirze, lasu, po którym tak chętnie spaceruję i który dostarcza mi inspiracji. Wydawnictwu Ludwig Verlag dziękuję za możliwość podzielenia się refleksjami z szerokim gronem czytelników i wreszcie dziękuję Wam, drogie Czytelniczki i drodzy Czytelnicy, za to, że razem ze mną odkryliście kilka sekretów drzew, bo tylko ten, kto zna drzewa, potrafi je chronić.

PRZYPISY

[1] M. Anhäuser, *Der stumme Schrei der Limabohne*, „MaxPlanckForschung" 2007, nr 3, s. 64–65.

[2] Tamże.

[3] http://www.deutschlandradiokultur.de/die-intelligenz-der-pflanzen. 1067.de.html?dram:article_id=175633, dostęp: 13 grudnia 2014.

[4] https://gluckspilze.com/faq, dostęp: 14 października 2014.

[5] http://www.deutschlandradiokultur.de/die-intelligenz-der-pflanzen. 1067.de.html?dram:article_id=175633, dostęp: 13 grudnia 2014.

[6] M. Gagliano i in., *Towards understanding plant bioacoustics*, „Trends in Plants Science" 2012, t. 954, s. 1–3.

[7] *Neue Studie zu Honigbienen und Weidenkätzchen*, Universität Bayreuth, „Pressemitteilung" 2014, nr 098, 23 maja 2014.

[8] http://www.rp-online.de/nrw/staedte/duesseldorf/pappelsamen-reizen--duesseldorf-aid-1.1134653, dostęp: 24 grudnia 2014.

[9] *Lebenskünstler Baum*, skrypt do cyklu audycji *Quarks & Co.*, WDR, Köln, maj 2004, s. 13.

[10] http://www.ds.mpg.de/139253/05, dostęp: 9 grudnia 2014.

[11] http://www.news.uwa.edu.au/201401156399/research/move-over-ele-phants-mimosas-have-memories-too, dostęp: 8 października 2014.

[12] http://www.zeit.de/2014/24/pflanzenkommunikation-bioakustik.

[13] http://www.wsl.ch/medien/presse/pm_040924_DE, dostęp: 18 grudnia 2014.

[14] http://www.planet-wissen.de/natur_technik/pilze/gift_und_speisepilze/wissensfrage_groesste_lebewesen.jsp, dostęp: 18 grudnia 2014.

[15] U. Nehls, „Sugar Uptake and Channeling into Trehalose Metabolism in Poplar Ectomycorrhizae", rozprawa doktorska, Universität Tübingen, 27 kwietnia 2011.

[16] http://www.scinexx.de/wissen-aktuell-7702-2008-01-23.html, dostęp: 13 października 2014.

[17] http://www.wissenschaft.de/archiv/-/journal_content/56/12054/1212884/Pilz-t%C3%B6tet-Kleintiere-um-Baum-zu-bewirten/, dostęp: 17 lutego 2015.

[18] http://www.chemgapedia.de/vsengine/vlu/vsc/de/ch/8/bc/vlu/transport/wassertransp.vlu/Page/vsc/de/ch/8/bc/transport/wassertransp3.vscml.html, dostęp: 9 grudnia 2014.

[19] K. Steppe i in., *Low-decibel ultrasonic acoustic emissions are temperature-induced and probably have no biotic origin*, „New Phytologist" 2009, nr 183, s. 928–931.

[20] http://www.br-online.de/kinder/fragen-verstehen/wissen/2005/01193/, dostęp: 18 marca 2015.

[21] Z. Lindo, J.A. Whiteley, *Old trees contribute bioavailable nitrogen through canopy bryophytes*, „Plant and Soil", maj 2011, s. 141–148.

[22] H. Walentowski, *Weltältester Baum in Schweden entdeckt*, „LWF aktuell" 2008, nr 65, s. 56, München.

[23] K. Hollricher, *Dumm wie Bohnenstroh?*, „Laborjournal" 2005, nr 10, s. 22–26.

[24] http://www.spektrum.de/news/aufbruch-in-den-ozean/1025043, dostęp: 9 grudnia 2014.

[25] http://www.desertifikation.de/fakten_degradation.html, dostęp: 30 listopada 2014.

[26] Rozmowa z Dipl.-Biol. Klarą Krämer, RWTH Aachen University, 26 listopada 2014.

[27] A. Fichtner i in., *Effects of anthropogenic disturbances on soil microbial communities in oak forests persist for more than 100 years*, „Soil Biology and Biochemistry", marzec 2014, z. 70, s. 79–87, Kiel.

[28] M.J. Mühlbauer, *Klimageschichte*, Seminarbeitrag Seminar: Wetter und Klima WS 2012/13, s. 10, Universität Regensburg.

[29] A. Mihatsch, *Neue Studie: Bäume sind die besten Kohlendioxidspeicher*, „Pressemitteilung" 2014, nr 008, Universität Leipzig, 16 stycznia 2014.

[30] L. Zimmermann i in., *Waserverbrauch von Wäldern*, „LWF aktuell" 2008, nr 66, s. 16.

[31] A.M. Makarieva, V.G. Gorshkov, *Biotic pump of atmospheric moisture as driver of the hydrological cycle on land*, „Hydrology and Earth System Sciences Discussions", Copernicus Publications, 2007, nr 11 (2), s. 1013–1033.

[32] D. Adam, *Chemical released by trees can help cool planet, scientists find*, „The Guardian", 31 października 2008, http://theguardian.com/environment/2008/oct/31/forests-climatechange, dostęp: 30 grudnia 2014.

[33] http://www.deutschlandfunk.de/pilze-heimliche-helfershelfer-desborkenkaefers.676.de.html?dram:article_id=298258, dostęp: 27 grudnia 2014.

[34] G. Möller, *Großhöhlen als Zentren der Biodiversität*, 2006, http://biotopholz.de/media/download_gallery/Grosshoehlen_-_Biodiversitaet.pdf, dostęp: 27 grudnia 2014.

[35] M. Goßner i in., *Wie viele Arten leben auf der ältesten Tanne des Bayerischen Walds*, „AFZ-Der Wald" 2009, nr 4, s. 164–165.

[36] G. Möller, *Großhöhlen als Zentren der Biodiversität*, dz. cyt.

[37] http://www.totholz.ch, dostęp: 12 grudnia 2014.

[38] http://www.wetterauer-zeitung.de/Home/Stadt/Uebersicht/Artikel,-Der-Wind-traegt-am-Laubfall-keine-Schuld-_arid,64488_regid,3_puid,1_pageid,113.html.

[39] http://tecfaetu.unige.ch/perso/staf/notari/arbeitsbl_liestal/botanik/laubblat_anatomie_i.pdf.

[40] H. Claessens, *L'aulne glutineux (Alnus glutinosa): une essence forestière oubliée*, „Silva belgica" 1990, nr 97, s. 25–33.

[41] J. Laube i in., *Chilling outweighs photoperiod in preventing precocious spring development*, „Global Change Biology", wersja internetowa, 30 października 2013.

[42] http://www.nationalgeographic.de/aktuelles/woher-wissen-die-pflanzen-wann-es-fruehling-wird, dostęp: 24 listopada 2014.

[43] Ch. Richter, *Phytonzidforschung – ein Beitrag zur Ressourcenfrage*, „Hercynia N.F." 1987, t. 24, nr 1, s. 95–106, Leipzig.

[44] P. Cherubini i in., *Tree-life history prior to death: two fungal root pathogens affects tree-ring growth differently*, „Journal of Ecology" 2002, nr 90, s. 839–850.

[45] T. Stützel i in., *Wurzeleinwuchs in Abwasserleitungen und Kanäle*, Studie der Ruhr-Universität Bochum, Gelsenkirchen, lipiec 2004, s. 31–35.

[46] T. Sobczyk, *Der Eichenprozessionsspinner in Deutschland*, BfN-Skripten 365, Bonn-Bad Godesberg, maj 2014.

[47] S. Ebeling i in., *From a traditional medicinal plant to a rational drug: Understanding the clinically proven wound healing efficacy of birch bark extract*, „PLoS One", 22 stycznia 2014, nr 9 (1).

[48] USDA Forest Service, http://www.fs.usda.gov/detail/fishlake/home/?cid=STELPRDB5393641, dostęp: 23 grudnia 2014.

[49] G. Meister, *Die Tanne*, S. 2, herausgegeben von der Schutzgemeinschaft Deutscher Wald (SWD), Bonn.

[50] R. Finkeldey, H.H. Hattemer, *Genetische Variation in Wäldern – wo stehen wir?*, „Forstarchiv", lipiec 2010, nr 81, s. 123–128, M.&H. Schaper GmbH.

[51] F. Harmuth i in., *Der sächsische Wald im Dienst der Allgemeinheit*, Staatsbetrieb Sachsenforst, 2003, s. 33.

[52] A. von Haller, *Lebenswichtig aber unerkannt*, Verlag Boden und Gesundheit, Langenburg 1980.

[53] J.Y. Lee, D.Ch. Lee, *Cardiac and pulmonary benefits of forest walking versus city walking in elderly women: A randomised, controlled, open-label trial*, „European Journal of Integrative Medicine" 2014, nr 6, s. 5–11.

[54] http://www.wilhelmshaven.de/botanischergarten/infoblaetter/wassertransport.pdf, dostęp: 21 listopada 2014.

[55] S. Boch i in., *High plant species richness indicates management-related disturbances rather than the conservation status of forests*, „Basic and Applied Ecology" 2013, nr 14, s. 496–505.

[56] http://www.br.de/themen/wissen/nationalpark-bayerischer-wald104.html, dostęp: 9 listopada 2014.

[57] http://www.waldfreunde-koenigsdorf.de, dostęp: 7 grudnia 2014.

[58] J. Robbins, *Why trees matter?*, „The New York Times", 11 kwietnia 2012, http://www.nytimes.com/2012/04/12/opinion/why-trees-matter.html?_r=1&, dostęp: 30 grudnia 2014.

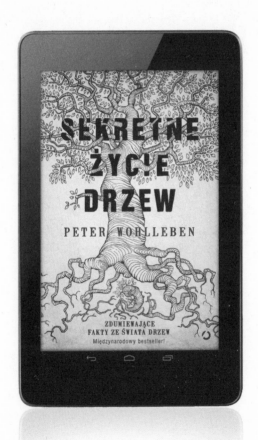

Wydawnictwo Otwarte sp. z o.o.,
ul. Smolki 5/302, 30-513 Kraków. Wydanie I, 2016.
Druk: CPI Moravia Books